W9-BZV-527

COLLECTION
FOLIO CLASSIQUE

La Farce de Maître Pathelin

Texte présenté, traduit et annoté
par Michel Rousse
Professeur émérite à l'Université de Rennes II

ÉDITION BILINGUE

Gallimard

PRÉFACE

LA FARCE

La farce trouve ses sujets de prédilection dans les situations quotidiennes et banales ; les personnages en sont de petites gens, des marchands, des paysans, des voisines, des valets, des médecins, des prêtres, de petits artisans, bref les gens de la vie courante, ceux qui passent par les rues ou discutent sur les places publiques, et très rarement des personnes nobles. L'intrigue en est souvent fort simple, rapidement traitée (entre trois cents et six cents vers de huit syllabes) ; elle repose sur des querelles de ménage, des adultères, des cocuages, des bons tours joués à des êtres naïfs. La farce rencontre souvent les thèmes que traitent les fabliaux et s'apparente aussi aux histoires qui constituent le Roman de Renart *par son goût de la situation comique et des mots qui bravent l'honnêteté, et par son insouciance quant à la morale.*

Un des ressorts principaux de la farce est la

ruse ; on aime voir un mari trop sot berné par sa jeune femme, coquette et pleine d'esprit ; on aime voir la réussite d'un bon tour. Sort vainqueur de ce jeu, souvent avec l'aide du hasard, le plus malin, même si la morale n'y trouve pas toujours son compte.

L'action recourt à des procédés qui sont traditionnels dans ce type de théâtre : les coups de bâton viennent rosser ceux qui se laissent prendre, on rit aux chutes malencontreuses, on se plaît à voir représenter ce que d'ordinaire l'on essaie de garder dans l'intimité du foyer...

C'est que la farce est apparentée au carnaval, temps où l'on peut tout dire et tout faire ; on échappe alors aux contraintes sociales ; réserve, politesse, respect des valeurs établies s'évanouissent pour laisser place au monde de la fête, un monde où les valeurs sont inversées, un monde de folie bien souvent, un monde à l'envers.

Mais après ces déchaînements, la morale reprend ses droits.

LA REPRÉSENTATION

Aujourd'hui on ne conçoit guère le théâtre sans une salle spécialement aménagée pour l'abriter ; et le théâtre grec ou latin disposait de vastes édifices conçus pour ses représentations.

Pour le théâtre des farces, il en va tout autrement. La farce peut être jouée partout : en plein air, sur la place du marché, dans la cour d'un hôtel, dans les fossés de la ville, ou bien à l'intérieur d'un cabaret ou d'un collège.

Pour la scène, il suffit de quelques planches disposées sur des tréteaux ou sur des barriques que l'on met debout. Le fond de cette estrade est fermé par un rideau qui délimite un espace clos formant coulisse : c'est là que les acteurs se griment et se déguisent, c'est là qu'ils entreposent leurs accessoires, c'est là aussi qu'ils vont pouvoir entrer et sortir ou se cacher au cours du jeu. Dans cet espace clos, l'acteur revêt les habits de son rôle et devient le personnage qu'il incarne.

Les spectateurs se tiennent en général debout autour de la scène qu'ils entourent sur trois côtés, toujours prompts à manifester leurs sentiments ou à essayer de prévenir le personnage du mauvais coup qui va survenir. Les acteurs bien souvent sont contraints de remonter en coulisse l'échelle qui leur permet de gagner l'estrade afin d'éviter de voir les spectateurs envahir la scène.

Sur l'aire de jeu, aucun décor à proprement parler, mais parfois un objet indispensable à l'action. Ce peut être une table, des tabourets — et nous sommes dans un intérieur, ou bien un pot d'étain est suspendu sur le côté — et nous sommes dans un cabaret ; si un parchemin auquel pendent de multiples sceaux est accroché au rideau, nous sommes chez un médecin ; une planche sur deux tréteaux suffit à établir l'étal d'un marchand ; et si rien ne vient signaler où nous sommes, le dialogue suffit à laisser deviner le lieu où se déroule l'action.

C'est que l'essentiel du spectacle réside dans le jeu des acteurs ; ils sont typés, ils ont le visage masqué ou barbouillé de farine ; leurs habits permettent de reconnaître immédiatement le personnage qu'ils incarnent : femme de la campagne un peu naïve, berger grossièrement vêtu d'une peau de mouton, avocat reconnaissable à sa robe et à son chaperon.

Un acteur attire à lui la faveur de la foule : le badin, personnage propre au théâtre français. On le reconnaît dès qu'il entre en scène : il a le visage enfariné et porte sur la tête le bonnet qu'on met aux jeunes enfants, symbole de sa simplicité d'esprit. Il a l'allure d'un niais et cet adulte resté enfant obéit à toutes les pulsions de son corps : il est paresseux, gourmand, buveur. Réfléchir lui coûte trop, il fait confiance à sa bonne étoile. Il vit au jour le jour, résigné devant les coups du sort et prêt à saisir une bonne occasion si elle se présente. Les situations souvent se retournent à son profit sans qu'il l'ait vraiment cherché. Rabelais dit que dans les troupes le rôle du badin est réservé à l'acteur le plus habile : la réussite d'une pièce dépend en effet de son jeu.

LA FARCE DE MAÎTRE PATHELIN
UNE COMÉDIE DU LANGAGE

Un comique qui rompt avec la tradition des farces

Si l'on en juge par les farces que nous possédons, à l'époque de leur plus grande vogue (1460-1560), le public réagissait à un répertoire de situations stéréotypées : coups de bâton, déguisements, chutes, retours inopinés de maris trompés qui surprennent leur femme dans les bras d'un amant, obscénité des propos. La Farce de Maître Pathelin *n'offre rien de comparable. Pathelin ne dérobe pas le drap en profitant d'un moment d'inattention du Drapier : il se le fait donner de plein gré par la seule vertu de ses propos. Le marchand qui vient chercher le prix de son drap ne se fait pas rosser à l'arrivée : il renonce de lui-même à réclamer son dû face à la parfaite comédie que Pathelin a manigancée.*

Certes, le comique traditionnel de la farce n'est pas entièrement absent : le passage instantané du rire aux larmes lors de l'arrivée du marchand, les cris de Guillemette qui demande de « parler bas », le quiproquo feint de Pathelin qui prend le marchand pour le médecin et lui présente son urine et ses excréments à examiner (vers 656-669), les mimiques de Pathelin couché dans son lit et qui s'agite en tous sens, peuplant l'espace environnant des créations de son imagination, font partie de ces situations qui appellent le rire et qui se trouvent encore renforcées par la présence du Drapier abasourdi et décontenancé. Au tribunal, Pathelin, contraint de feindre une rage de dents et de se cacher le visage pour n'être pas reconnu du Drapier, en appelle au procédé traditionnel du déguisement ; mais ici le stratagème ne vaudra guère et le ballet des mots va mener le marchand qui ne se maîtrise pas à sa perte.

Le comique de cette farce n'ignore donc pas les situations burlesques, mais il repose avant tout sur le jeu verbal.

Dans chacune des trois actions de la pièce, la ruse s'appuie sur l'utilisation des possibilités du langage. La flatterie dont le Drapier est victime est une ruse bien connue du public, et Guillemette évoque la fable du Corbeau et le Renard*; le délire de Pathelin qui feint d'être en proie à la fièvre permet de donner libre cours à un flot de paroles décousues ; enfin le langage réduit à son minimum — une onomatopée qui imite le cri du mouton — constitue la dernière ruse. Le renversement de situation de la dernière scène, où le maître trompeur est trompé à son tour, répond au rythme de ces ruses : un petit mot dépourvu de signification, un cri d'animal, vient à bout de ceux qui s'essaient au maniement tortueux de la langue.*

Le libre règne de la parole

Le titre même, La Farce de Maître Pathelin, *évoque ce règne de la parole. « Maître » renvoie à la profession d'avocat, et l'art de plaider a à l'époque la mauvaise réputation de transmuer un coupable en innocent. Quant au nom du héros, Pathelin, il est lié à une famille de mots qui évoquent un débit de paroles rapides et doucereuses. Le nom même de Pathelin a fini par désigner le beau parleur qui use du charme de ses mots pour duper celui qu'il flatte. En face de Pathelin, Guillaume est traditionnellement le nom d'un sot, tout désigné pour rester bouche bée, incapable de tenir tête au beau parleur, et le surnom de Thibaut Agnelet renvoie à la stupidité de l'agneau qui ne sait que bêler (d'où la surprise finale de Pathelin et du spectateur...).*

La parole est appelée par l'action même qui préside à chacun des temps de la pièce : échange de politesses et marchandage, profusion de propos incohérents, enfin plaidoyers d'accusation et de défense face au Juge. C'est surtout un usage perverti du langage qui est ici montré. Mots en déroute aussi que les propos du Drapier au tribunal, incapable de mettre de l'ordre dans un discours où tout s'emmêle.

Pathelin, ou la fête du langage

Maître de la flatterie, habile à feindre la folie et à créer un monde incohérent par ses paroles délirantes, Pathelin célèbre la fête du langage. Répétitions et jeux sonores sous-tendent les phrases et en matérialisent le cliquetis ; le vers se fait allègre, et la musique des mots entretient une cohérence qu'en certaines circonstances le sens ne peut plus assurer :

> Sus tost ! la royne des guiternes,
> A coup ! qu'elle me soit aprouchée !
> Je scay bien qu'elle est acouchée
> De vingt quattre guiterneaux,
> Enfans a l'abbé d'Iverneaux.
>
> (vers 802-806)

Mais même lorsque le dialogue est réel, d'un mot à l'autre qui se font écho se dessine un autre sens qui vient doubler la signification première. Ainsi, dans le dialogue entre Pathelin et Guillemette qui ouvre la pièce, le jeu des rimes met en relation deux séries de mots qui sont énoncés sans que la phrase les rapproche. La traduction ne permet pas de saisir comment le texte original unit par la rime une famille de mots créés sur tromper (tromper, tromperie, trompacion) *et une famille de mots construits sur avocat* (avocat, avocasser, avocasserie, avocacion)*, liant de plus dans la matière sonore le verbe* avocasser *aux verbes* cabasser *(chapar-*

der), ramasser *et* amasser, *qui reflètent les défauts que l'on prêtait constamment aux avocats. Sous des phrases qui se gardent bien de le dire ouvertement, le réseau des échos sonores clame la malhonnêteté des manieurs de mots que sont les avocats.*

Il suffit pour s'en rendre compte de lire la réplique qui accompagne l'entrée en scène de Pathelin :

Saincte Marie ! Guillemette,
Pour quelque paine que je mette
A cabasser n'a ramasser,
Nous ne povons rien amasser.
Or viz je que j'avocassoye.

Pathelin et Guillaume : le marchandage

Pour se procurer l'étoffe qu'il convoite, Pathelin va entraîner le marchand dans un piège qui se referme progressivement. Il évoque d'abord la ressemblance physique entre le fils et le père qu'il prétend avoir bien connu. À y regarder de près cependant, on voit qu'il faut toute la naïveté de Guillaume pour se laisser prendre ; Pathelin n'apporte en fait aucune véritable preuve de ce qu'il avance et se contente d'énumérer les éléments du visage où il prétend reconnaître le père :

Ainsi m'aist Dieu, que des oreilles,
Du nez, de la bouche, des yeulx,

Oncq enfant ne resembla mieulx
A pere…

(vers 142-145)

Du portrait physique, il glisse à l'éloge moral, et attribue au père de Guillaume les qualités de générosité et d'intelligence que très certainement il n'avait pas et que son fils possède encore moins. Il met ainsi en place tout un dispositif qui enferme Guillaume dans une situation dont il ne pourra se sortir. Il ne peut dire que son père manquait de générosité ; lui-même ne pourra donc pas faire ouvertement preuve d'âpreté au gain : son acquiescement tacite le plonge dans une situation inconfortable.

Pathelin en vient ensuite à ce qui l'amène. Faisant mine de ne pas y avoir songé et comme par hasard, il s'extasie sur une pièce d'étoffe :

Que ce drap yci est bien fait !
Qu'est il souef, doulx et traictis !

(vers 180-181)

Puis il passe à une autre et pose des questions techniques, comme s'il ne s'intéressait qu'au travail de son interlocuteur et ne souhaitait aucunement acquérir de l'étoffe :

Cestuy cy est il taint en laine ?
Il est fort comme ung cordoen.

(vers 190-191)

Il s'arrête soudain devant une étoffe :

Quel drap est cecy ? Vraiement,
Tant plus le voy et plus m'assote.
(vers 208-209)

Devant tant d'attention, se croyant bon marchand, Guillaume emploie une formule ambiguë pour proposer sa marchandise :

Tout est a vostre commandement,
Quanque il en a en la pille,
Et n'eussiés vous ne croix ne pille.
(vers 224-226)

Parole malheureuse ! Pathelin acquiesce, comme à une formule de politesse, et s'enquiert du prix, ce qui ne peut que rassurer le marchand. On voit ainsi Pathelin, par l'effet des conventions de langage qu'il maîtrise parfaitement, amener son interlocuteur à prononcer des phrases qui sont elles aussi de convention, mais qui créent un climat de confiance et de familiarité factices dont le maître trompeur va désormais jouer constamment. Il lui reste à serrer l'étoffe sous son bras et à partir en invitant le marchand à venir manger de l'oie chez lui pour se faire payer.

Ici apparaît un autre niveau de jeu avec le langage, car le langage populaire utilise l'expression « inviter à manger de l'oie » pour signifier « partir sans payer». Dans sa stupidité béate, le marchand ne saisit pas le double langage de Pathelin et prend au pied de la lettre une expression métaphorique qui préfigure sa mésaventure. Mais le public ne se prive pas du plaisir que procure une expression à double entente : elle offre un sens concret facile à représenter et un sens figuré très éloigné, porteur d'une belle déconvenue pour celui qui n'a pas su le déceler. Le public de l'époque était friand de ces jeux qui mettent en scène le sens concret d'un proverbe ou d'une expression et se résolvent dans son sens figuré.

Pathelin et Guillaume : le délire

Chez Pathelin la communication est coupée. Les mots ne permettent plus le dialogue. Pathelin ne s'adresse plus au marchand, il délire, il le prend pour un médecin, il est en proie à une fièvre qui lui fait débiter des mots apparemment incohérents dans des langues étranges. Le marchand assiste, impuissant à établir la communication, à cette folie des mots qui ne s'adressent pas à lui et ne répondent pas à ses préoccupations. Ici, plus d'échange, même faussé, comme dans la scène de marchandage du drap. Les paroles de Pathelin donnent le vertige à Guillaume qui en vient à douter de ce qu'il croyait le plus assuré. Pour le public, langue du Limousin, normand, breton, anglais, latin ne servent qu'à donner le branle à une jonglerie verbale où s'épanouit le plaisir pur du matériau sonore. Mais vient s'y glisser le trouble plaisir de participer aux côtés de Pathelin au bon tour joué au marchand : on saisit au vol injures et allusions directes et goguenardes à la duperie en cours. Le latin, qui évoque pour Guillaume les cérémonies religieuses et l'approche de la mort, raconte en fait la tromperie qui se joue. Guillaume prend peur et s'en va. Pathelin a rompu toute possibilité d'engager le dialogue et de ce fait a réussi à conduire le Drapier à renoncer à son argent.

Pathelin et Guillaume : le procès

Guillaume aura pourtant l'occasion de s'adresser directement à Pathelin. Lors du procès, il retrouve celui qu'il croyait mourant. Mais le moment n'est plus à cette affaire d'étoffe et, par un splendide renversement de situation, c'est le marchand qui aux yeux du Juge va paraître délirer. Il embrouille l'exposé de son accusation contre son berger voleur avec ses griefs contre Pathelin qui a emporté l'étoffe sans payer. Celui qui s'emballe dans un tourbillon de mots, ce n'est plus Pathelin mais Guillaume ; Pathelin n'intervient que très peu, assez pour faire croire que Guillaume mélange tout et donner un semblant d'explication à ses propos apparemment incohérents. Mais le spectateur est mieux instruit que le Juge : il voit le terrible piège où sa maladresse plonge le Drapier et jubile à la machiavélique explication que propose Pathelin :

Il veult dire, — est il bien rebelle ! —
Que son bergier avoit vendu
La laine, — je l'ay entendu —
Dont fut fait le drap de ma robbe,

(vers 1275-1278)

Pathelin jouait le malade en délire et bernait Guillaume. Guillaume mêle ses griefs contre son berger à ceux qu'il a contre Pathelin ; nous savons qu'il a raison, mais le Juge n'y comprend rien et lui donne tort ; il ne voit que folie dans ses paroles qui sont pourtant vérité. Le Drapier ne possède pas l'art d'exposer son propos ; la vérité est de son côté, mais celui qui sait l'art de disposer les mots et les phrases peut faire que la vérité paraisse pure folie.

Pathelin et le Berger : le silence est d'or

Le Berger est un rustre ; il vit avec ses moutons, les mange, s'habille de leurs peaux et, à l'instigation de Pathelin, s'exprime comme eux. À l'inverse du Drapier et de Pathelin, il est au service d'un maître. Sa manière de s'adresser à l'un ou à l'autre fait ressortir à quel point il leur est socialement inférieur : « Mon seigneur doulx », « Mon bon seigneur », « Monseigneur », « Mon doulx maistre ». Ses vêtements frustes, faits de la peau de ses bêtes, et le bâton de berger qu'il tient en main contribuent à le situer. Quand il parle, on le sent dépassé par la situation dans laquelle il se trouve ; son discours se caractérise par une série de confusions et par l'abondance des tournures négatives (vers 1025-1032). Cependant sous cette apparence rustique perce une certaine finesse, toute paysanne. On en vient même à le soupçonner d'avoir forcé son incompréhension des événements, car l'exposé qu'il fait à Pathelin ne manque pas de clarté. Il sait aussi les pouvoirs de l'argent dans cette société, et quand on retrouve dans sa bouche des propos sur l'argent qu'il possède et sur son intention de payer en « beaux écus d'or à la couronne » (vers 1116 et 1125-1126), on se souvient des belles déclarations de Pathelin au Drapier et on se prend à penser que, dans sa rusticité, il ne manque pas d'habileté. Thibaut Agnelet jouerait-il lui aussi un rôle comme Pathelin ?

Pathelin, tout en ne croyant qu'à demi aux propos du Berger, n'imagine pas qu'il puisse avoir affaire à quelqu'un d'aussi retors que lui, et se laisse prendre à l'appât d'un gain, si petit qu'il soit. Mais à la différence de Pathelin, Thibaut reste incapable d'inventer le moyen de se tirer d'affaire. Pathelin, dont les ressources d'ingéniosité sont inépuisables, trouve le stratagème dont le Berger s'empresse de profiter. Celui-ci a vite appris la leçon et, non content de l'appliquer de façon parfaite lors de l'audience devant le Juge, il la sert aussi à Pathelin. Au tribunal, les réclamations du marchand, les investigations du Juge s'étaient heurtées à un « bée » qui opposait un mur infranchissable à toute communication. Mais quand Pathelin et le Berger se retrouvent seuls, les belles paroles de Pathelin se heurtent au même refus de communiquer. L'avocat retors, maître en toutes sortes de langages, qui nous avait rendus témoins de sa virtuosité à duper, se retrouve berné par un individu à la courte sagesse populaire, prompt à saisir les occasions qui se présentent à lui, et qui, d'une brève onomatopée qui ne signifie rien, vient à bout de ses entreprises. C'est le monde renversé : « Les oisons mainnent les oes paistre ! » (vers 1586). Un berger naïf et mal dégrossi a réussi à profiter de la situation et à la retourner entièrement à son profit. Sûr de ne pouvoir tenir longtemps face à Pathelin, il prend le parti de la fuite. La représentation se clôt sur une scène vide. On est passé des flots de paroles en délire de Pathelin et du Drapier à une simple onomatopée, et le vertige étourdissant des phrases en recherche de sens débouche sur le silence.

Le théâtre dans le théâtre

Un acteur joue Pathelin ; mais voici que Pathelin va à son tour se faire acteur et jouer le malade : il décrit à l'avance son comportement à Guillemette, et le plaisir du spectateur va être de découvrir les dons d'acteur de Pathelin dans ce nouveau rôle.

Non content d'être acteur, il se fait aussi metteur en scène puisqu'il indique à Guillemette le rôle qu'elle devra tenir face au marchand et les paroles qu'elle devra prononcer. Et lorsque la scène a été jouée, scène de flatterie envers Guillaume pour emporter le drap, ou feinte maladie pour éloigner l'importun qui vient réclamer son paiement, Pathelin prend un malin plaisir à se la rappeler avec Guillemette. Double et triple plaisir pour le public dont la jubilation s'accroît de ces annonces et de ces rappels.

Annonces et rappels qui apportent leur propre note au comique. En racontant le déroulement de sa tromperie, Pathelin l'enrichit de commentaires qui contrastent singulièrement avec les propos qu'il a tenus : la flatterie sur la générosité du père et sur la ressemblance qui les unit se trouve résumée soudain dans les termes injurieux de « vilain marsouin » et de « babouin » (vers 429-430).

On voit la scène s'enrichir, une fois le propos bien établi, de toutes les inventions de détail que Pathelin trouve pour mieux se jouer de Guillaume. Il pousse l'audace jusqu'à entremêler de phrases discourtoises son discours de flagornerie : invoquer les crachats jetés sur un mur pour louer la ressemblance du fils avec son père est une impertinence que permet la bêtise de Guillaume et qui réjouit les spectateurs.

Dans le délire qu'il feint, on trouve sous ses propos des allusions à la tromperie qu'il est en train de jouer à ce naïf qui se laisse prendre à toutes les ruses qu'il lui trame ; il n'est pas difficile au public écolier de l'époque de comprendre sous le latin la moquerie qu'il adresse au benêt :

Dicat sibi quod trufator	*Qu'il se dise que le trompeur*
Ille, qui in lecto jacet,	*qui est couché dans ce lit*
Vult ei dare, si placet,	*veut lui donner, s'il lui plaît,*
De oca ad comedendum.	*de l'oie à manger.*

(vers 963-966)

Il se sent si sûr de sa ruse qu'il se permet d'injurier le pauvre Guillaume :

Alés en ariere, merdaille ! (vers 850)
Donc viens tu, Caresme Prenant ? (vers 862)
Va, foutre ! va, sanglant paillart ! (vers 948)

Guillemette elle-même se montre bonne élève et joue son rôle à merveille, brodant à son tour sur le canevas que lui a livré Pathelin. Elle ne se contente pas du « Parlez bas » que son mari lui a suggéré, elle commente avec une verve pleine de ressources les propos en jargon que tient Pathelin, et parvient ainsi à masquer aux oreilles de Guillaume les impertinences que celui-ci lui débite. Par l'effet de son imagination, Pathelin se voit pourvu d'un oncle limousin (vers 842), d'une mère picarde (vers 860), d'un maître d'école normand (vers 902-903) et d'une grand-mère paternelle bretonne (vers 939-940) !

Thibaut Agnelet se révèle lui aussi un excellent élève de Pathelin. Face au Juge et à Guillaume, il joue parfaitement le rôle qui lui a été dicté. Mais soudain l'élève prend son indépendance et continue de tenir le même rôle face à son avocat. Pathe-

lin a dépensé des trésors d'imagination pour éviter de payer le marchand. Un seul mot, une onomatopée — et comble de l'ironie, inventée par Pathelin lui-même —, suffit à Thibaut Agnelet pour éviter de le payer. Au Berger vêtu d'une peau de mouton, il suffit d'un seul mot pour tromper le magicien qui opérait des prodiges avec ses mots. La pièce ne s'est pas déroulée jusqu'au bout comme l'avait prévu celui qui croyait par ses inventions en maîtriser le cours. Le théâtre réservait des surprises à celui qui jouait au metteur en scène.

Nous sommes loin d'une « comédie de caractère » ; loin aussi de personnages réduits à des types. Peut-être Guillaume, le marchand d'étoffe, par sa cupidité et son âpreté au gain, porte-t-il en lui les défauts traditionnels du marchand. Mais sa stupidité lui donne une dimension supplémentaire. Nous ne sommes pas en présence non plus d'une satire de la justice, même si le public découvre une parodie de procès mené par un juge peu consciencieux, pressé d'en finir, et qui s'appuie sur un avocat fripon qui usurpe sans doute ce titre…

Ce qui fait l'originalité de La Farce de Maître Pathelin, *c'est la mise en jeu d'une action dont le moteur principal est le langage sous ses formes les plus diverses. On y voit son pouvoir, on en sent les dangers, on en pressent les limites, et l'on se hâte d'en rire avant d'en être effrayé.*

LE THÉÂTRE DES FARCES ENTRE PATHELIN ET THIBAUT AGNELET

On observe au cours de la représentation une modification du statut dramatique des personnages. Dans les deux premières actions, Pathelin est continûment en scène, il est le pivot des actions, en relation soit avec le Drapier, soit avec Guillemette, soit avec les deux à la fois. Ce statut privilégié lui échappe dans la troisième action au profit de Thibaut Agnelet.

Ce déplacement n'est pas sans signification et l'on peut y déceler une réflexion en action sur les voies qui s'offrent au théâtre français à l'orée d'un développement sans précédent. Pathelin représente la ruse ingénieuse alliée à une maîtrise agile des ressources du langage ; c'est l'apothéose de l'imagination déliée et pleine de ressources d'un personnage en position de tirer les ficelles. Le théâtre latin fournit le patron de ces pièces où la ruse d'un esclave permettait à l'amoureux de surmonter les interdits familiaux et sociaux.

Mais l'auteur de Pathelin *a voulu contrebalancer la sympathie inévitable qu'attire le brio du fourbe : il dessine pour son personnage une silhouette qui établit une distance. Son apparence physique le dessert : il est mal habillé et il est vieux, comme il ressort des propos qu'il tient au Drapier ; il est de la génération des anciens ; de plus, il est « pelé », c'est-à-dire chauve ; la traduction latine de la pièce soulignait bien cet aspect du personnage quand elle a pris pour titre* Veterator *(dérivé de* vetus, *« vieux »), « le vieux renard ». Dès le départ il nous est présenté sous un éclairage peu reluisant : sa femme ne se fait guère d'illusion sur la valeur de son mari, ignare mais prétentieux, capable seulement de manœuvres louches et biaisées, et voué à être rejeté par la société ; personne ne fait plus appel à lui et ses mauvais coups lui ont même valu la sanction publique du pilori. Dans ses actions, il n'est pas plus recommandable. Passons sur le vol de l'étoffe, on peut y voir un bon tour qui venge le commun des mortels de l'âpreté au gain des marchands, mais le stratagème qu'il invente pour le Berger confirme très clairement les griefs populaires contre les avocats qui, par pure cupidité, sont capables de retourner la vérité (vers 1118-1124).*

Cependant le spectacle de ses fourberies nous réjouit et l'immoralisme de ses actes bénéficie d'une indulgence générale. Bien loin de le condamner, nous applaudissons et nous nous délectons au spectacle d'actions qui, en pure logique, devraient provoquer l'indignation. Nous sommes éblouis de tant d'habileté à mener à terme des actions apparemment impossibles ; nous oublions que la morale réprouve les moyens utilisés, fascinés que nous sommes par ce qu'ils recèlent d'incontestable prouesse.

Il reste que ce maître trompeur se fait berner à son tour par « un berger des champs ». Est-ce là un retournement final nécessaire, une dernière pirouette où l'auteur sacrifie son héros aux nécessités du rire ?

Car Thibaut Agnelet n'a rien d'un intrigant retors. Il vit avec ses bêtes, vêtu de leurs peaux ; même s'il accentue son côté simplet pour essayer d'amadouer le Drapier, il reste un être fruste qui avoue tout de go ses larcins ; il a certes tué et mangé des moutons, mais on ne saurait dire que l'excuse de la clavelée révèle une nature ingénieuse. Dans cette affaire, il subit les péripéties d'une histoire qu'il n'a pas déclenchée. Il est balourd, et même s'il a promis des pièces d'or qu'il n'a pas, on ne peut guère y voir le signe d'une ruse, c'est simplement une nécessité de la situation : sans argent, pas d'avocat. Thibaut est porté par les événements et ne sait comment s'en sortir. Sa première réaction n'a pas été d'inventer quelque beau stratagème qui le tirerait d'affaire, il est allé tout bonnement chez son maître sans autre projet que d'espérer transiger. Il n'a pas pris les devants, il est introduit dans l'action contraint et forcé, requis par un sergent. Il est conforme au type traditionnel du berger.

Le berger Thibaut triomphe de tous les embarras : il devait répondre du vol des brebis, il devait payer son avocat ; il était en bien mauvaise situation et il n'était pas capable de trouver une issue. Mais on l'a pris pour plus sot qu'il n'était et il a su profiter de ce que l'occasion lui a présenté : c'est à Pathelin lui-même qu'il doit le stratagème qui le délivrera du Drapier et qu'il pourra ensuite retourner contre le maître en tromperies. Ce sont là les traits du personnage traditionnel des farces : le badin.

Dans La Farce de Maître Pathelin *s'affrontent donc deux types de personnages, qui représentent deux conceptions de l'action humaine : le fourbe rusé qui domine les événements et les plie à ses stratagèmes, le badin qui se coule dans le flux quotidien sans chercher à se projeter dans un futur qui lui échappe. Mais le mérite du badin est de savoir profiter de l'occasion qui se présente, qu'elle lui soit offerte par d'autres ou par le seul hasard. Thibaut va de l'avant sans calcul, il ne se préoccupe pas de ce qui va se passer ensuite, il ne cherche pas à conduire le futur comme Pathelin qui prévoit la scène avant de la jouer. En lui s'exprime toute une philosophie héritée du Moyen Âge pour qui le monde est régi par la Fortune, qui est aveugle. La Renaissance voit l'homme maître et possesseur de la nature ; l'homme du Moyen Âge se sent le jouet des événements. Le badin est construit à son image : demain est toujours incertitude et tout projet est voué à subir des événements inattendus.*

L'auteur de La Farce de Maître Pathelin *oppose ainsi deux attitudes qui sont aussi deux formes de héros théâtral. Il connaît les auteurs latins, il apprécie les subtilités de Térence et les ruses de Plaute, mais il sait que le théâtre français n'est pas mûr pour ce type de théâtre ; et il donne la victoire au personnage qui est l'emblème de la farce française : le badin. Son public exulte à voir ce faible, qui n'a pas même le pouvoir que peut donner la ruse, l'emporter sur plus puissant, plus malin, plus intelligent que lui. Le Drapier, pour une fois, voyait juste :*

> Est il fol ? Saint Sauveur d'Esture !
> Il est plus saige que vous n'estes.
>
> (vers 1397-1398)

Sous l'apparente folie se cache la véritable sagesse.

Ainsi La Farce de Maître Pathelin *présage-t-elle le devenir de plus d'un siècle de théâtre comique. Il y eut bien sûr des suites à* Pathelin, *mais elles se réduisent en tout et pour tout à deux pièces écrites dans le sillage immédiat et sur le modèle de la première. Le badin emporte haut la main la victoire : le théâtre des farces, s'il se souvient à l'occasion de quelques propos bien tournés, n'a pas voulu créer autour de Pathelin le foisonnement de productions que le badin a suscité. On aime rire de ce faux niais, frère de tout un chacun en infortunes diverses, à qui le ciel ou sa bonne étoile offre le secours qu'il s'empresse de saisir au vol. Il faudra attendre la seconde moitié du* XVII*e* *siècle pour que les Turluppin, Philippin, et autres Scapin modifient les usages : on ne rira plus du balourd ; maintenant le petit peuple est valet, mais il est ingénieux et dirige l'action et le rire contre d'autres cibles.*

LA FARCE DE MAÎTRE PATHELIN
DANS L'HISTOIRE DU THÉÂTRE

La date exacte où La Farce de Maître Pathelin *fut composée ne nous est pas connue. Divers indices amènent à supposer qu'elle fut écrite dans les années 1460. Ainsi, la pièce qui est considérée comme le chef-d'œuvre du théâtre des farces semble être apparue aux tout débuts de la vogue de ce genre. Il est vrai que les farces qui nous sont parvenues lui sont postérieures. Il est vrai aussi que la période de la plus grande faveur de ce genre ne fait que commencer dans la seconde moitié du* XV*e siècle pour s'épanouir dans la première moitié du* XVI*e siècle. Mais il importe de prendre conscience qu'une pièce comme* La Farce de Maître Pathelin, *même si elle paraît être le premier jalon du genre, hérite en fait de toute une tradition théâtrale et va bâtir son originalité sur un matériau qu'elle remodèle selon sa visée propre.*

Le théâtre du Moyen Âge : le théâtre religieux

Le Moyen Âge aima le théâtre. On sait que dès le X*e siècle, dans les églises, on s'efforça de renforcer la piété de l'assistance par la présentation sous une forme que l'on peut dire théâtrale de l'épisode de la Résurrection en représentant la visite au tom-*

beau des Saintes Femmes. Tout au long du Moyen Âge, le théâtre fut présent dans les églises, lié aux grands événements célébrés dans les fêtes de Pâques et de Noël. Il était mise en scène, procession, mouvements de foule, chant et musique. Il persista jusqu'à la fin du Moyen Âge et le XVIe siècle connût encore ces représentations données dans les églises qui mobilisaient, le soir de Noël en particulier, une assistance venue parfois de loin.

Ce théâtre lié à l'église, que les érudits du XIXe siècle nommèrent « drame liturgique », n'est qu'une manifestation du goût pour le théâtre qui animait la société médiévale.

Un autre genre, qui puise lui aussi sa matière dans la vie et la mort du Christ, est né et se développe aux XVe et XVIe siècles : le mystère de la Passion. Il est en français, il mobilise la ville et ses élites, il a lieu pour des occasions marquantes et provoque des dépenses énormes. À mesure que la mode s'en répand, il prend de l'ampleur, et la représentation d'un mystère peut durer plusieurs jours ou même s'étaler sur les dimanches de plusieurs mois. Il constitue un événement exceptionnel destiné à magnifier l'opulence d'une cité qui s'offre le luxe de cette manifestation ostentatoire de sa puissance et de sa dévotion.

Ce type de manifestation relève sans doute du théâtre, mais on en retiendra surtout que ce sont là les témoignages du plaisir que les gens de l'époque pouvaient éprouver à tout ce qui relevait des arts du spectacle.

Le théâtre du Moyen Âge : le théâtre profane

Un autre théâtre émergea à côté de cette veine d'origine cléricale et religieuse.

Lorsque la langue française trouva sa place dans la création d'œuvres à ambitions artistiques, on voulut avoir, à côté des chansons de geste et des romans, des pièces de théâtre d'un esprit neuf. Le XIIIe siècle, période de prospérité économique, vit s'affirmer le talent théâtral de grands créateurs. Ils ont nom Jean Bodel, Adam de la Halle, Rutebeuf. Ils sont originaires des riches villes du nord de la France ou de Paris. Ils sont tous les trois jongleurs, mais aussi poètes, et poètes ambitieux, soucieux d'originalité et d'expression neuve. Et leurs pièces, Le Jeu de saint Nicolas *de Jean Bodel,* Le Jeu de la Feuillée *d'Adam de la Halle,* Le Miracle de Théophile *de Rutebeuf, sont le résultat d'un authentique travail de création littéraire. Les sujets sont profanes, et ne se confondent pas avec les thèmes du drame liturgique. Mais, même si on rajoute à ces trois œuvres deux ou trois autres œuvres de moindre envergure, on reste étonné que la production théâtrale puisse se réduire à ces seuls titres.*

Car on ne peut concevoir que le théâtre n'existe que par intermittence, à raison d'une pièce tous les trente ou cinquante ans. Pour qu'il y ait théâtre, il faut que les auteurs, les acteurs, le public s'accordent sur des conventions, une expérience du jeu théâtral, bref, une tradition technique qui ne peut être instaurée que par une vivante activité de représentation scénique. Le XIII*e siècle nous a légué les textes qui sont en notre possession parce qu'ils émanaient de poètes connus : ils sont nés à la jonction d'une intention créatrice ambitieuse et d'une activité théâtrale dont ils nous font deviner la présence et qui a rendu possibles leurs créations. Ils nous permettent de supposer l'existence d'une activité théâtrale de caractère plus quotidien, fort éloignée sans doute des tentatives novatrices auxquelles ces poètes se sont livrés quand ils jetaient les bases d'un genre nouveau en littérature et faisaient franchir à l'histoire du théâtre français une étape décisive. Malheureusement, les temps n'étaient pas mûrs, ou plutôt le siècle qui suivit sombra dans les pires difficultés, et le théâtre ne put poursuivre sur cette brillante lancée.*

Nous touchons là un point aveugle de l'histoire de notre théâtre. Car nous sommes en présence d'une difficulté majeure. En l'état actuel de nos informations, notre source est le texte. C'est de lui que nous tirons ce que nous pouvons savoir sur un art dont nous ignorons l'essentiel : la saveur de la représentation, à chaque fois unique, qui le constitue. De cet état de fait nous devons saisir les dangers et les limitations. Si le Moyen Âge nous a légué quelques grandes œuvres, nous devons être persuadés que de tels textes ne sont pas le point de départ, le lieu de pure invention d'un art aussi complexe : ils en sont bien plutôt le point d'aboutissement. En eux convergent de multiples facteurs dont ils sont, pour une part importante, la résultante.

En l'absence de texte, nous sommes dans l'ignorance la plus complète. Après les réussites dramatiques du XIII*e* *siècle, le silence se fait sur le théâtre profane : il ne resurgira que dans la seconde moitié du* XV*e* *siècle avec les farces.*

Pourtant un court texte, Le Garçon et l'Aveugle, *nous propose à la fin du* XIII*e* *siècle ce que l'on pourrait appeler une farce (le mot n'apparaît que bien plus tard). Cette pièce isolée dans son genre nous est précieuse. Elle assure que de courtes pièces à caractère comique, sans doute transmises oralement, et qui n'ont pas été jugées dignes de figurer sur un parchemin, existent deux siècles avant celles qui nous sont parvenues.*

À cela il faut ajouter qu'après la prospérité des XII*e* *et* XIII*e* *siècles, vinrent les temps difficiles de ce* XIV*e* *siècle qu'on a pu appeler « le siècle des calamités », dont les malheurs débordèrent largement sur le* XV*e* *siècle ; on y connut la famine, les moments les plus funestes de la guerre de Cent Ans et la peste qui emporta près de la moitié de la population. Dans ces disettes, cette misère et cette insécurité générales, jongleurs et acteurs, les uns se confondant avec les autres, furent probablement les premiers frappés ; personne n'avait plus le cœur à rire ou, plus certainement encore, personne n'avait plus les quelques sous qui pouvaient faire vivre ces colporteurs du rire.*

Le temps des farces

La tradition d'un théâtre farcesque ne disparut pas complètement. Dans cette désolation, quelques îlots de luxe et de fête émergent : ce sont les cours des grands, roi de France, duc de Bourgogne, duc d'Orléans ou d'Anjou. Et par les gratifications dont leurs livres de comptes gardent trace, nous savons que des « joueurs de personnages », des « joueurs de farces » y firent montre de leurs talents.

Dès qu'un instant de paix s'instaure, on voit réapparaître des divertissements de type théâtral : la bourgeoisie des cités opulentes, l'université ont gardé par-delà les vicissitudes et les épreuves le goût du théâtre. Un procès devant le Parlement de Paris nous indique qu'au début du XVe *siècle se produisaient des jongleurs professionnels capables de jouer des farces pour gagner leur vie. L'accusé, qui se défend d'avoir été de ces professionnels, reconnaît avoir joué des farces « comme ont accoutumé de le faire écoliers [étudiants] et jeunes gens ». Témoignage qui nous mène dans un milieu qui fut particulièrement propice au théâtre : l'université.*

Il y eut donc un recul indéniable de la production théâtrale dans cette époque où s'enchaînent les calamités. Recul, mais non disparition complète. Que revienne un temps où se résolvent ces tensions, où la paix s'instaure, où les routes ne soient plus incertaines, où le commerce se ranime, où la production agricole et industrielle procure à chacun sa suffisance et un peu plus, et l'on assiste à l'épanouissement du théâtre et en particulier du théâtre des farces. L'essor de la farce commence dans la seconde moitié du XV*e siècle et son point de départ coïncide avec les années 1460-1470 qui sont, aux yeux des historiens, capitales et amorcent un redémarrage, marquant l'ouverture d'une longue période de prospérité.*

Il ne s'agit pas de dire que les conditions historiques ont été cause de l'essor de la farce, mais que leurs fluctuations ont eu une répercussion sur son destin. La prospérité qui revient permet la multiplication des représentations. Représenter une farce, c'est en effet mobiliser trois, quatre, cinq ou six acteurs et parfois plus, c'est créer un espace de jeu spécifique, c'est acheter des étoffes et fabriquer des costumes, c'est aussi pouvoir assembler un public qui ait l'esprit à rire. Il faut donc gagner assez d'argent pour faire vivre ces acteurs et, même lorsqu'il ne s'agit pas de professionnels, pour rembourser les frais engagés. Le théâtre est en ce sens tributaire de l'évolution économique de la société.

La farce connaît sa pleine floraison de 1460 à 1560 ; elle existait certes avant, mais le nom même de farce n'apparaît qu'à la fin du XIV*e siècle, où l'on trouve mentionné dans les comptes du roi Charles VI un « joueur de farces ». Dès lors la farce est fixée dans un genre qui survivra jusqu'à nos jours.*

La Farce de Maître Pathelin

Comme toutes les farces, La Farce de Maître Pathelin *est anonyme. Mais les qualités exceptionnelles de ce texte suscitent la curiosité et l'on aimerait savoir dans quel milieu elle peut avoir été conçue. Deux villes, qui étaient à l'époque les plus florissantes du royaume, Rouen et Paris, ont trouvé auprès des érudits d'ardents partisans qui, prenant parti pour l'une ou pour l'autre, ont avancé des arguments dont aucun n'emporte une absolue conviction. Pour Rouen, on évoque le commerce du drap, l'importance des avocats, quelques traits de langue, des allusions comme le mal de saint Garbot ou les foireux de Bayeux ; pour Paris, on invoque également des traits de langue, le vers 961 :* Parisius non sunt ova *(« à Paris il n'y a pas d'œufs »), et des identifications qui ne résistent pas bien à l'examen. Dans l'un et l'autre cas, le milieu d'origine pourrait être, dit-on, le monde des clercs du Parlement, habitués des procès ; ils forment une sorte d'association, la Basoche, qui aime fêter le carnaval et ne dédaigne pas se livrer à des facéties théâtrales à forte portée satirique. Mais est-il besoin d'appartenir au monde de la justice pour inventer le procès de la pièce ?*

Nous pensons y voir un produit de la vie festive des collèges parisiens. L'auteur pourrait être un de ces étudiants amateurs de spectacles de farces, mais frotté aussi de lettres classiques et familier du théâtre de Térence qui connaissait alors une grande vogue. Le « rachat d'une rente » qu'évoque Pathelin au vers 199 n'était possible qu'à Paris et n'aurait pas été compris ailleurs. Ce monde des collèges, que fréquenta Gerson ou Villon, qui grouillait d'une vie à la fois studieuse et animée, est peut-être celui qui vit naître La Farce de Maître Pathelin.

MICHEL ROUSSE

PRINCIPES D'ÉDITION ET DE TRADUCTION

Page de titre

L'édition de Pierre Levet ne comporte que l'indication du titre, le reste de la page étant occupé par son emblème : une croix surmonte un cœur dans lequel se dessinent, graphiquement mêlées, les lettres PLE. Le titre et la liste des personnages que nous donnons ici sont empruntés au manuscrit La Vallière.

Le texte original

Nous reproduisons aussi exactement que possible l'édition de Pierre Levet de 1490. Quelques erreurs ont été rectifiées et quelques coquilles ont été corrigées ; en ce cas le texte avant correction est donné en note. Nous n'utilisons pas les crochets ou les parenthèses pour des indications d'ordre critique.

La graphie peut être un peu déroutante. Il vaut souvent mieux se fier à son oreille plutôt qu'à son œil. Ainsi *ce, ces* peuvent représenter *se, ses*.

La ponctuation, l'usage des capitales, de la cédille, la distinction entre *j* et *i*, entre *v* et *u*, l'accent ont été introduits en fonction des habitudes d'aujourd'hui. Nous avons parfois utilisé le tréma pour indiquer une diérèse qui n'est pas en accord avec l'usage moderne.

Le texte est écrit en octosyllabes, mais la métrique n'est pas rigoureuse et l'*e* muet, par exemple, est tantôt élidé, tantôt compté. Là encore l'oreille dictera sa loi et indiquera les élisions à opérer éventuellement.

La traduction

Il importe de bien avoir conscience que les indications de décor et de mise en scène, la division en trois *actions* et la répartition du texte en scènes ne font pas partie du texte original — excepté au vers 1 et au vers 79 — qui ne comporte que le nom du personnage et sa réplique. Ces additions sont introduites pour faciliter l'approche de ce texte en tant que texte de théâtre, et chacun reste maître de concevoir autrement ce que peut être ce spectacle, son décor, ses jeux de scène. Toutes les indications scéniques entre crochets dans la traduction sont donc des additions.

J'exprime ici la reconnaissance que je dois à Gérard Lacote qui accepta de relire la traduction et fit maintes bonnes suggestions.

La Farce
de Maître Pathelin

Ici commence la farce de Maître Pathelin
à V personnages :

Maître Pierre,
sa Femme,
le Drapier,
le Berger,
le Juge.

MAISTRE PIERRE PATHELIN

MAISTRE PIERRE commence

Saincte Marie ! Guillemette,
Pour quelque paine que je mette
A cabasser n'a ramasser,
Nous ne povons rien amasser.
Or viz je que j'avocassoye.

MAÎTRE PIERRE PATHELIN

[ACTION 1]

[*Sur l'aire de jeu, sont disposés en opposition spatiale :*
deux tabourets d'un côté : lieu de « la maison de Pathelin »
et de l'autre un étal avec quelques rouleaux d'étoffe et un tabouret : lieu du Drapier.]

[*SCÈNE 1*]

[PATHELIN, GUILLEMETTE]

MAÎTRE PIERRE *commence*

Sainte Marie ! Guillemette, malgré mes efforts pour barboter et chiper, rien à faire, nous n'amassons rien. Il fut pourtant un temps où je faisais l'avocat.

GUILLEMETTE

Par Notre Dame, je y pensoye,
Dont on chante, en advocassaige,
Mais on ne vous tient pas si saige
Des quattre pars, comme on souloit.
Je vis que chascun vous vouloit
Avoir pour gangner sa querelle ;
Maintenant chascun vous appelle
Partout advocat dessoubz l'orme.

PATHELIN

Encor ne le dis je pas pour me
Vanter, mais n'a, au territoire
Ou nous tenon nostre auditoire,
Homme plus saige, fors[1] *le maire.*

GUILLEMETTE

Aussi a il leu le grimaire
Et aprins a clerc longue piece.

1. Levet : *fort.*

GUILLEMETTE

Par Notre Dame, dont on a plein la bouche dans les plaidoiries, j'y songeais ; c'est que le renom de votre habileté s'est envolé. Il fut un temps où chacun voulait vous avoir pour gagner son procès ; à présent, on vous appelle partout avocat de quatre sous[1].

PATHELIN

Je ne le dis sûrement pas pour me vanter, mais il n'y a pas, dans la contrée où nous tenons notre permanence, de personne plus habile, hormis le maire.

GUILLEMETTE

C'est qu'il a lu le grimoire[2] et qu'il a été longtemps aux études.

1. *Advocat dessoubz l'orme* dit le texte original : cette expression pourrait indiquer un avocat sans client (il est à les attendre sous l'orme de la place) ; mais c'est plutôt une qualification péjorative qui se moque d'un prétentieux et le renvoie à son village, peut-être par référence à une coutume qui faisait rendre la justice dans les villages de façon fort simple en recourant à des juges et des avocats pris sur place et sans véritable qualification.

2. *Grimoire* est un mot issu de la prononciation populaire de *grammaire*. Il désigne d'abord la grammaire latine, la seule qui existât. C'est pourquoi grimoire signifie aussi « livre d'instruction ». Mais du fait qu'il était en latin, donc incompréhensible pour beaucoup de gens, grimoire a désigné aussi un « livre incompréhensible », et se spécialise au sens de « livre de sorcellerie ». Guillemette veut sans doute dire que le maire a appris le latin, ou plus généralement qu'il a fréquenté les études et lu des livres incompréhensibles et mystérieux pour un homme comme Pathelin.

PATHELIN

A qui véez vous que ne despesche
Sa cause, se je m'y veuil mettre ?
Et si n'aprins oncques a lettre
Que ung peu ; mais je me ose vanter
Que je sçay aussi bien chanter
Ou livre avec nostre prestre
Que se j'eusses esté a maistre
Autant que Charles en Espaigne.

GUILLEMETTE

Que nous vault cecy ? Pas empaingne !
Nous mourrons de fine famine,
Nos robbes sont plus qu'estamine
Reses, et ne povons sçavoir
Comment nous en peussons avoir.
Et que nous vault vostre science ?

PATHELIN

Taisés vous ! Par ma conscience,
Se je vueil mon sens esprouver,
Je sçauray bien ou en trouver,
Des robbes et des chapperons !

PATHELIN

Voyez-vous quelqu'un que je ne tire d'embarras, si je veux m'y mettre? Et pourtant je n'ai jamais appris le latin[1] que bien peu; mais j'ose me vanter que je sais aussi bien chanter au lutrin avec notre prêtre que si j'avais été à l'école aussi longtemps que Charlemagne en Espagne[2].

GUILLEMETTE

Et qu'est-ce que ça nous rapporte? pas un clou[3]! Nous mourons tout bonnement de faim, nos vêtements sont élimés jusqu'à la trame, et nous sommes bien en peine de savoir comment nous pourrions en avoir. Alors à quoi bon toute votre science?

PATHELIN

Taisez-vous! Par mon âme, si je veux faire travailler mes méninges, je saurai bien où en trouver, des vêtements et des chaperons[4]!

1. Le texte original dit *a lettre*, ce qui est proprement la langue latine. Pourtant Pathelin se vante de savoir assez de latin pour chanter *ou livre*, c'est-à-dire le livre de chant qui est dans le chœur, sur un lutrin, et qui porte les parties chantées de l'office. Les chantres des paroisses n'avaient pas bonne réputation.

2. Les premiers vers de la *Chanson de Roland* disent que Charlemagne est resté sept ans en Espagne…

3. *Pas un clou!* Le texte original dit : *pas empaingne!* L'empeigne étant le dessus d'une chaussure, séparé de sa semelle, ce n'est plus qu'un objet bon à jeter.

4. Le *chaperon* est un chapeau comportant un bourrelet sur les bords ; il est de plus entouré d'une sorte d'écharpe en turban

Se Dieu plaist, nous eschaperons
Et serons remis sus en l'eure.
Dea ! En peu d'eure Dieu labeure !
S'il convient que je m'aplique
A bouter avant ma practique,
On ne sçaura trouver mon per.

GUILLEMETTE

Par saint Jaques, non de tromper :
Vous en estes ung fin droit maistre.

PATHELIN

Par celuy Dieu qui me fist naistre,
Mais de droicte advocasserie !

GUILLEMETTE

Par ma foy, mais de tromperie !
Combien vraiement je m'en advise,
Quant a vray dire, sans clergise
Et sans sens naturel, vous estes
Tenu l'une des saiges testes
Qui soit en toute la paroisse.

PATHELIN

Il n'y a nul qui se congnoise
Si hault en avocatïon.

GUILLEMETTE

M'aist Dieu, mais en trompatïon,
Au mains en avés vous le los.

S'il plaît à Dieu, nous nous en tirerons et nous serons bientôt remis sur pied. Que diable, Dieu va vite en besogne ! S'il faut que je m'emploie à faire montre de mes talents, on ne saura trouver mon égal.

GUILLEMETTE

Par saint Jacques, sûrement pas pour ce qui est de tromper : vous en êtes parfaitement maître.

PATHELIN

Par ce Dieu qui me fit naître, c'est du bel art de plaider que je parle !

GUILLEMETTE

Par ma foi, non de tromper ! Je m'en rends bien compte puisqu'à vrai dire, sans instruction et sans bon sens, vous passez pour l'une des têtes les plus habiles qui soit dans toute la paroisse[1].

PATHELIN

Personne ne s'y connaît mieux dans l'art de plaider.

GUILLEMETTE

Mon Dieu ! oui, dans l'art de tromper, c'est en tout cas votre réputation.

---

qui retombe ensuite sur l'épaule. Il apparaît clairement sur les illustrations des éditions anciennes de *La Farce de Maître Pathelin*.

1. La réplique de Guillemette est sans doute ironique.

PATHELIN

Si ont ceulx qui de camelos
Sont vestus et de camocas,
Qui dient qu'i sont avocas,
Mais pour tant ne le sont ilz mye.
Laissons en paix ceste baverie,
Je vueil aler a la foire.

GUILLEMETTE

A la foire ?

PATHELIN

Par saint Jehan, voire[1]*,*
A la foire ! Gentil marchande,
Vous desplaist il se je marchande
Du drap ou quelque aultre suffrage
Qui soit bon pour nostre mesnage ?
Nous n'avons robbe qui rien vaille.

GUILLEMETTE

Vous n'avés ne denier ne maille :
Qu'i ferés vous ?

PATHELIN

Vous ne sçavés,
Belle dame ? Se vous n'avés
Du drap pour nous deux largement,
Si me desmentés hardiement.

1. Levet : *voira.*

PATHELIN

C'est aussi celle de ceux qui sont vêtus de velours et de satin, qui prétendent qu'ils sont avocats[1], mais ils ne le sont point pour autant.
Laissons là ce bavardage, je veux aller à la foire.

GUILLEMETTE

À la foire ?

PATHELIN

Par saint Jean, oui, à la foire ! Belle acheteuse, vous déplaît-il que j'achète de l'étoffe ou quelque autre colifichet qui soit utile pour notre ménage ? Nous n'avons pas d'habit qui vaille.

GUILLEMETTE

Vous n'avez pas un sou[2] : qu'allez-vous faire là-bas ?

PATHELIN

Vous ne le savez pas, belle dame ? Si je ne vous rapporte largement assez d'étoffe pour nous deux, alors, allez-y ! traitez-moi de menteur.

1. Cette réplique est une satire des avocats ; ils se disent avocats parce qu'ils sont richement habillés, mais en réalité ils ne le sont pas parce qu'ils ne défendent pas le droit comme ils devraient.

2. Le *denier* et la *maille* sont les plus petites pièces de monnaie de l'époque.

Quel couleur vous semble plus belle ?
D'ung gris vert ? D'ung drap de brunette ?
Ou d'aultre ? Il le me fault sçavoir.

GUILLEMETTE

Tel que vous le pourés avoir.
Qui emprunte ne choisist mie.

PATHELIN, en contant sur ses dois

Pour vous, deux aulnes et demie,
Et pour[1] *moy, trois, voire bien quattre ;*
Ce sont...[2]

GUILLEMETTE

Vous comptés sans rabatre !
Qui deable les vous prestera ?

PATHELIN

Que vous en chault qui se fera ?
On les me prestera vrayement,
A rendre au jour du jugement,
Car plus tost ne sera ce point !

GUILLEMETTE

Avant, mon amy ! en ce point
Qui que soit en sera couvert.

1. *Pour* est ajouté d'après le manuscrit La Vallière.

2. Levet ajoute en fin de réplique de Pathelin : — *ne sont mie*. Cette addition rend le vers faux et c'est une confusion avec le vers 262, qui offre un propos voisin : *Ce sont six aulnes, ne sont mie ?* Le Roy n'a pas cette addition.

Quelle couleur vous paraît la plus belle ? un gris-vert ? une étoffe de brunette[1] ? une autre couleur ? Il faut que je le sache.

GUILLEMETTE

Celle que vous pourrez avoir. Qui emprunte ne choisit pas.

PATHELIN, *en comptant sur ses doigts*

Pour vous, deux aunes[2] et demie, et pour moi, trois, ou même quatre ; ce qui fait...

GUILLEMETTE

Vous comptez large ! Qui diable vous en fera crédit ?

PATHELIN

Que vous importe qui ce sera. On va vraiment m'en faire crédit, et je paierai au jour du Jugement dernier, sûrement pas avant !

GUILLEMETTE

Et allez donc, mon ami ! de la sorte, il sera bien attrapé.

1. La *brunette* était une étoffe de laine fine de couleur bleu foncé alors que le gris-vert est d'un tissu plus grossier.

2. Une *aune* vaut environ 1,20 mètre. Deux aunes et demie font donc environ 3 mètres, trois aunes font 3,60 mètres, quatre aunes font 4,80 mètres.

PATHELIN

J'acheteray ou gris ou vert,
Et pour ung blanchet, Guillemette,
Me fault iii. quartiers de brunette,
Ou une aulne.

GUILLEMETTE

Se m'aist Dieu, voire !
Alés ! n'ombliés pas a boire,
Se vous trouvés Martin Garant.

PATHELIN

Gardés tout.

GUILLEMETTE

Hé Dieu, quel marchant !
Pleust or a Dieu qu'il n'y vist goute !

PATHELIN

J'achèterai ou du gris ou du vert, et pour une chemise, Guillemette, il me faut trois quarts d'aune de brunette ou même une aune.

GUILLEMETTE

Dieu me vienne en aide, oui ! Allez et n'oubliez pas de boire si vous trouvez Jean Crédit[1].

PATHELIN [*s'éloignant*]

Faites bonne garde[2] !

GUILLEMETTE

Hé Dieu, le bel acheteur ! Plût à Dieu qu'il n'y vît goutte[3] !

1. Le texte original dit : *Martin Garant* (qui se porte garant d'un emprunt) et désignerait donc ironiquement celui qui accepterait de se porter caution pour les dettes que s'apprête à faire Pathelin.

2. *Faites bonne garde !* : formule figée qui invite à veiller sur ce que renferme la maison et qui est fréquemment adressée à la femme qui y reste par le personnage qui s'éloigne de chez lui.

3. Le sens est ambigu : que représente le pronom *il*, Pathelin ou la victime de Pathelin ? Guillemette souhaite peut-être que son mari soit aveugle et n'ait pas l'occasion de faire des achats qui seraient des vols ; mais on peut plutôt penser qu'elle souhaite que Pathelin rencontre un niais qui ne se rende pas compte de la tromperie.

PATHELIN

N'est ce pas yla ? J'en fais doubte.
Et si est ! Par saincte Marie,
Il se mesle de drapperie !

Dieu y soit !

GUILLAUME JOCEAULME, drappier

Et Dieu vous doint joye !

PATHELIN

Or, ainsi m'aist Dieu, que j'avoye
De vous vëoir grant volenté !
Comment se porte la santé ?
Este vous sain et dru, Guillaume ?

LE DRAPPIER

Ouy, par Dieu.

PATHELIN

Sa, ceste paulme !
Comment vous va ?

[*SCÈNE 2*]

[PATHELIN, LE DRAPIER]

PATHELIN [*s'approchant*]

N'est-ce pas lui là-bas ? Je n'en suis pas sûr. Mais si, c'est bien lui ! Par sainte Marie, il se mêle de vendre de l'étoffe[1] !

[*S'adressant à Guillaume*]

Dieu soit avec vous !

GUILLAUME JOSSAUME, *drapier*

Et Dieu vous accorde la joie !

PATHELIN

Mon Dieu, que j'avais grande envie de vous voir ! Comment vous portez-vous ? La santé est-elle bonne, Guillaume ?

LE DRAPIER

Ma foi, oui.

PATHELIN

Çà, une poignée de main ! Comment ça va ?

1. En s'approchant de l'étal, Pathelin reconnaît un personnage qui apparaissait sans doute à ses côtés dans d'autres farces dans le rôle du benêt dupé. Il reconnaît d'abord le personnage (dont le nom lui est familier, comme le prouve le vers 105) et découvre ensuite qu'ici il vend de l'étoffe.

LE DRAPPIER

Et, bien, vraiement,
A vostre bon commandement.
Et vous ?

PATHELIN

Par sainct Pierre l'apostre,
Comme celuy qui est tout vostre.
Ainsi, vous esbatés ?

LE DRAPPIER

Et voyre !
Mais marchans, se devés vous croire,
Ne font pas tousjours a leur guise.

PATHELIN

Comme se porte marchandise ?
S'en peult on ne seigner ne paistre ?

LE DRAPPIER

Et, se m'aist Dieu, mon doulx maistre,
Je ne scay. Tousjours hay avant !

PATHELIN

Ha, qu'estoit ung homme sçavant
— Je requier Dieu qu'il en ait l'ame —
De vostre pere ! Doulce Dame !
Il m'est advis tout clerement
Que c'est il de vous proprement.
Qu'estoit ce ung bon marchant et sage !
Vous luy resemblés de visage,

LE DRAPIER

Eh, bien, vraiment, à votre service. Et vous ?

PATHELIN

Par l'apôtre saint Pierre, comme un homme qui vous est tout dévoué. Alors, la vie est belle ?

LE DRAPIER

Eh oui ! Mais pour les marchands, vous pouvez m'en croire, tout ne va pas toujours comme ils voudraient.

PATHELIN

Comment va le commerce ? Est-ce qu'il nourrit son homme ?

LE DRAPIER

Eh, Dieu me vienne en aide, mon cher maître, je ne sais. On fait aller !

PATHELIN

Ah, votre père — Dieu ait son âme ! —, quel homme savant c'était ! Sainte Vierge ! je me rends à l'évidence, c'est tout à fait vous. Qu'il était bon commerçant, et avisé ! Vous lui ressemblez de visage,

Par Dieu, comme droitte painture !
Se Dieu eust oncq de creature
Mercy, Dieu vray pardon luy face
A l'ame.

LE DRAPPIER

Amen, par sa grace,
Et de nous quant il luy plaira.

PATHELIN

Par ma foy, il me desclera
Mainte fois et bien largement
Le temps qu'on voit presentement.
Moult de fois m'en est souvenu.
Et puis lors il estoit tenu
Ung des bons...

LE DRAPPIER

Séez vous, beau sire.
Il est bien temps de le vous dire,
Mais je suis ainsi gracïeux.

PATHELIN

Je suis bien. Par le corps precieux,
Il avoit...

LE DRAPPIER

Vrayement, vous vous serrés.

par Dieu, c'est tout à fait son portrait ! Si Dieu eut jamais pitié d'une créature, qu'il accorde complet pardon à son âme[1].

LE DRAPIER

Amen, par sa grâce, et à nous aussi quand il lui plaira[2].

PATHELIN

Je vous jure qu'il m'a annoncé maintes fois et dans le détail le temps qu'on voit à présent. Je m'en suis souvenu bien des fois. Depuis lors, on le tenait pour un des meilleurs...

LE DRAPIER

Asseyez-vous, cher monsieur. Il est bien temps de vous le dire, mais ce sont là mes politesses[3].

PATHELIN

Je suis bien. Par le précieux Corps du Christ, il avait...

LE DRAPIER

Allons, allons ! vous allez vous asseoir.

1. Pathelin, après cette brillante entrée en matière verbale, entraîne le Drapier à faire avec lui un signe de croix en mémoire du père disparu.

2. *Quand il lui plaira* : de nous rappeler à lui, donc au jour de notre mort.

3. *Je suis ainsi gracïeux* dit le texte original. Le Drapier souligne par cet énoncé légèrement ironique qu'il veut s'excuser de ne pas l'avoir invité plus tôt à s'asseoir.

PATHELIN

Voulentiers. « Ha, que vous verrés,
Qu'il me disoit[1]*, de grans merveilles ! »*
Ainsi m'aist Dieu, que des oreilles,
Du nez, de la bouche, des yeulx,
Oncq enfant ne resembla mieulx
A pere. Qué[2] *menton forché !*
Vrayement, c'estes vous tout poché !
Et qui diroit a vostre mere
Que ne feussiés filz vostre pere,
Il auroit grant fain de tancer.
Sans faulte, je ne puis penser
Comment Nature en ces ouvrages
Forma deux si pareilz visaiges,
Et l'ung comme l'autre tachié.
Car quoy ! qui vous auroit crachié
Tous deux encontre la paroy,
D'une maniere et d'ung arroy,
Si seriés vous sans difference.
Or, sire, la bonne Laurence,
Vostre belle ante, mourut elle ?

LE DRAPPIER

Nenny, dea !

1. Levet : *dist* ; corrigé d'après le manuscrit La Vallière.
2. *Qué* est une graphie possible de *quel* (leçon de Le Roy), fidèle à la prononciation.

PATHELIN

Volontiers. « Ha, que vous verrez, me disait-il, de grandes merveilles ! » Mais je vous jure que pour les oreilles, le nez, la bouche, les yeux, jamais un enfant ne ressembla plus à son père. La fossette au menton[1], vraiment c'est vous, trait pour trait. Et celui qui dirait à votre mère que vous n'êtes pas le fils de votre père aurait grande envie de quereller. Non, je ne puis imaginer comment Nature en ses œuvres forma deux visages si semblables, et l'un et l'autre avec les mêmes traits. Car quoi ! si l'on vous avait crachés tous deux contre le mur[2] — même maintien et même disposition —, on ne saurait vous distinguer. Dites-moi, monsieur, la bonne Laurence, votre chère tante, est-elle morte ?

LE DRAPIER

Non point.

1. *La fossette au menton* apparaît assez constamment à l'époque dans la description de la beauté féminine ; il y a donc là un trait de dérision. La fossette serait peut-être aussi un signe d'embonpoint, de même qu'au vers 862, c'est sans doute cet embonpoint qui permet à Pathelin, feignant de délirer, d'appeler le Drapier *Caresme Prenant*, c'est-à-dire « face de Mardi-Gras ».

2. La locution « C'est vous tout craché » (employée par Pathelin au vers 427 lorsqu'il fait le récit de cette scène) est ici la base d'un développement qui permet à Pathelin de sortir de l'expression admise et de franchir un tabou dans la bienséance face à Guillaume, afin de provoquer le rire du public par l'insolence burlesque du propos.

PATHELIN

Que la vis je belle,
Et grande et droite et gracïeuse !
Par la Mere Dieu precïeuse
Vous luy resemblés de corsaige
Comme qui vous eust fait de naige.
En ce païs n'a, se me semble,
Lignage qui mieulx se resemble.
Tant plus vous voy – Dieu par le Pere !
Véez vous la, véez vostre pere.
Vous luy resemblés mieux que goute
D'eaue, je n'en fais nulle doubte.
Quel vaillant bachelier c'estoit,
Le bon preudomme, et si prestoit
Ses denrées a qui les vouloit !
Dieu luy pardoint ! Il me souloit
Tousjours de si tresbon[1] *cueur rire.*
Pleust a Jesus Christ que le pire
De ce monde luy resemblast.
On ne tollist pas ne n'emblast
L'ung a l'autre comme l'en fait.

Que ce drap yci est bien fait !
Qu'est il souef, doulx et traictis !

LE DRAPPIER

Je l'ay fait faire tout faictis
Ainsi des laines de mes bestes.

1. *Tres* est ajouté d'après le manuscrit La Vallière.

PATHELIN

Je l'ai connue si belle, si grande, si droite et gracieuse ! Par la vénérée Mère de Dieu, vous lui ressemblez dans l'allure comme si on vous avait pétri dans la neige. Dans ce pays il n'y a, me semble-t-il, famille plus ressemblante. Plus je vous vois — Dieu ! par le Père ! vous voilà, et c'est votre père. Vous vous ressemblez comme deux gouttes d'eau, ça ne fait aucun doute. Quel bon vivant c'était, le brave homme, et ses articles, il les vendait à crédit à qui les voulait ! Dieu lui pardonne ! Il aimait toujours rire de si bon cœur avec moi. Ah, si Jésus-Christ voulait que le plus fieffé coquin de ce monde lui ressemblât, on ne se pillerait pas l'un l'autre, on ne se volerait pas comme on le fait.

[*Il prend comme distraitement sur l'étal une pièce d'étoffe.*]

Que cette étoffe-ci est bien faite ! qu'elle est moelleuse, douce et lisse !

LE DRAPIER

Je l'ai fait faire tout exprès ainsi avec la laine de mes bêtes.

PATHELIN

Enhen, quel mesnager vous estes !
Vous n'en ystriés pas de l'orine
Du pere, vostre corps ne fine
Tousjours de besoingner !

LE DRAPPIER

Que voulés vous ? Il fault songner
Qui veult vivre, et soustenir[1] *paine.*

PATHELIN

Cestuy cy est il taint en laine ?
Il est fort comme ung cordoen.

LE DRAPPIER

C'est ung tresbon drap de Roen,
Je vous prometz, et bien drappé.

PATHELIN

Or vrayement[2] *j'en suys atrappé,*
Car je n'avoye intencïon
D'avoir drap, par la passïon

1. Levet : *sonstenir.*
2. Levet : *vrayemeut.*

PATHELIN

Ho, ho ! quel homme qui veille à tout ! Vous ne seriez pas le fils de votre père[1]... Toujours à l'ouvrage !

LE DRAPIER

Que voulez-vous ? Il faut se donner de la peine si l'on veut vivre, et être dur à la tâche.

PATHELIN

Celle-ci est-elle teinte avant tissage[2] ? Elle est solide comme un cuir de Cordoue[3].

LE DRAPIER

C'est une très belle étoffe de Rouen[4], je vous assure, et bien travaillée.

PATHELIN

Oui vraiment, j'en suis attrapé, car je n'avais pas l'intention de prendre d'étoffe, par la Passion

1. Le texte propose ici un jeu de mots difficile à rendre ; mot à mot : « vous ne sortiriez pas de l'origine de votre père », mais le mot *orine*, qui signifie « origine », signifie aussi « urine ».

2. *Teinte avant tissage* : c'est ce que signifie *taint en laine,* c'est-à-dire teinte alors qu'elle était encore en laine non tissée.

3. Le *cuir de Cordoue* était particulièrement réputé au Moyen Âge ; le terme *cordoen* en vint à désigner tout cuir de qualité (et a servi à former le nom du cordonnier).

4. On fabriquait à Rouen aux XVe et XVIe siècles des tissus d'une grande finesse très réputés.

De Nostre Seigneur, quant je vins.
J'avoye mis apart quatre vings
Escus, pour retraire une rente,
Mais vous en aurés vingt ou trente,
Je le voy bien, car la couleur
M'en plaist trestant que c'est douleur !

LE DRAPPIER

Escus voire ? Ce pourroit il faire
Que ceulx donc vous devés retraire
Ceste rente prinsent monnoye ?

PATHELIN

Et ouy bien, se je vouloye.
Tout m'en est ung, en paiement.
Quel drap est ce cy ? Vraiement,
Tant plus le voy et plus m'assote.
Il m'en fault avoir une cotte
Bref, et a ma femme de mesme.

de Notre Seigneur, quand je suis venu. J'avais mis de côté quatre-vingts écus d'or, pour racheter une rente[1], mais vous en aurez vingt ou trente, je le vois bien, car sa couleur me plaît tant que j'en ai mal !

LE DRAPIER

Des écus d'or, dites-vous ? Est-il possible que ceux à qui vous devez racheter cette rente acceptent d'autres pièces[2] ?

PATHELIN

Oui, bien sûr, si je voulais. Peu m'importe comment je paie[3].
Quelle étoffe est-ce là ? Vraiment, plus je la vois et plus j'en suis fou. Il me faut en prendre de quoi faire une cotte[4] au plus tôt, et pour ma femme la même chose.

1. Il s'agit d'une rente portant sur un immeuble, dette établie lors de l'achat ou en d'autres occasions, qui obligeait le débiteur à payer annuellement une certaine somme ; une ordonnance de Charles VII en 1441 permettait de se libérer de cette rente en versant une somme égale à douze fois le montant de la rente annuelle. D'après Lemercier, cette disposition ne concernait que Paris et ses faubourgs.

2. Le paiement en écus est évidemment meilleur qu'en aucune autre monnaie qui a tendance à se dévaluer rapidement.

3. Ces propos sont à double entente. Pathelin insinue que tout le monde lui fait confiance et accepte ses paiements quelle que soit la monnaie dans laquelle il les effectue. Le Drapier ne comprend pas ce que devine le spectateur : Pathelin annonce qu'il est prêt à payer en belles paroles et à emporter le drap sans débourser d'argent.

4. La *cotte* était un vêtement de dessous, une sorte de robe, porté aussi bien par les hommes que par les femmes.

LE DRAPPIER

Certes, drap est cher comme cresme.
Vous en aurés se vous voulés.
Dix ou vingt frans y sont coulés
Si tost !

PATHELIN

Ne me chault, couste et vaille !
Encor ay je denier et maille
Qu'oncques ne virent pere ne mere.

LE DRAPPIER

Dieu en soit loué ! Par saint Pere,
Il ne m'en desplairoit en piece.

PATHELIN

Bref, je suis gros de ceste piece ;
Il m'en convient avoir.

LE DRAPPIER

Or bien,
Il convient aviser combien
Vous en voulés premierement.
Tout est a vostre commandement,
Quanque il en a en la pille,
Et n'eussiés vous ne croix ne pille.

LE DRAPIER

Vraiment, l'étoffe est aussi chère que la crème[1]. Vous en prendrez si vous voulez. Dix ou vingt francs y passent si vite !

PATHELIN

Peu m'importe, votre prix sera le mien ! Il me reste encore quelques sous que ni mon père ni ma mère n'ont jamais vus[2].

LE DRAPIER

Dieu soit loué ! Par saint Pierre, ce ne serait pas pour me déplaire.

PATHELIN

Bref, je suis fou dc cctte pièce d'étoffe ; il faut que j'en prenne.

LE DRAPIER

Alors, il faut calculer combien vous en voulez avant tout. Tout est à votre disposition, tout ce qu'il y a dans la pile, même si vous n'aviez pas le moindre argent.

1. *La crème* : on a parfois voulu traduire par *le chrême*, qui servait à l'onction des rois de France. Il s'agit plus simplement de la crème du lait qui symbolise une denrée de prix élevé, puisqu'il y en a peu dans chaque litre de lait. Le Drapier s'apprête à vendre son drap à un prix exorbitant.

2. Par cette remarque, Pathelin veut signifier au Drapier qu'il a quelque épargne secrète dont ses parents même ignorent l'existence — et pour cause ! Mais le public, lui, comprend immédiatement que Pathelin est en train de dire que personne n'a vu cet argent puisqu'il n'existe tout bonnement pas.

PATHELIN

Je le sçay bien, vostre mercy.

LE DRAPPIER

Voulés vous de ce pers cler cy ?

PATHELIN

Avant, combien me coustera
La premiere aulne ? Dieu sera
Payé des premiers, c'est raison.
Vecy ung denier. Ne faison
Rien qui soit ou Dieu ne se nomme.

LE DRAPPIER

Par Dieu, vous dittes que bon homme,
Et m'en avés bien resjouy.
Voulés vous a ung mot ?

PATHELIN

Ouy.

LE DRAPPIER

Chascune aulne vous coustera
Vingt et quattre solz.

PATHELIN

Je le sais bien, grand merci.

LE DRAPIER

Voulez-vous de cette étoffe bleu pâle ?

PATHELIN

Allons, combien me coûtera la première aune ? Dieu sera payé en premier, c'est juste. Voici un denier[1]. Ne faisons rien sans invoquer Dieu.

LE DRAPIER

Par Dieu, vous parlez en honnête homme, et m'en rendez tout heureux. Voulez-vous mon prix sans marchandage[2] ?

PATHELIN

Oui.

LE DRAPIER

Chaque aune vous coûtera vingt-quatre sous.

1. C'est ce qu'on appelle le « denier à Dieu », que l'on a coutume de donner en aumône lorsqu'on fait un achat. Une ordonnance royale réglementa même la façon dont les marchands devaient reverser cette aumône aux religieux pour leurs œuvres de bienfaisance. Évidemment, cette largesse initiale de Pathelin qui n'a pas encore discuté du prix ne peut que bien disposer le marchand.

2. *A ung mot* dit le texte original, ce qui signifie : en ne disant qu'une fois le prix, sans en discuter ensuite. La même expression sera reprise par le Berger qui paiera Pathelin *a vostre mot* (vers 1195-1196).

PATHELIN

Non fera !
Vingt et quattre solz ? Saincte Dame !

LE DRAPPIER

Il le m'a cousté, par cest ame !
Tant m'en fault, se vous l'avés.

PATHELIN

Dea, c'est trop !

LE DRAPPIER

Ha, vous ne sçavés
Comment le drap est encheri.
Trestout le bestail est peri
Cest yver par la grant froidure.

PATHELIN

Vingt solz ! Vingt solz !

LE DRAPPIER

Et je vous jure
Que j'en auray ce que je dy.
Or attendés a samedi :
Vous verrés que vault. La toison,

PATHELIN

C'est impossible ! Vingt-quatre sous ? Sainte Vierge !

LE DRAPIER

C'est ce qu'il m'a coûté, sur mon âme ! C'est mon prix, si vous le prenez.

PATHELIN

Hé là, c'est trop !

LE DRAPIER

Ah, vous ne savez pas comme l'étoffe est devenue chère. Tout le bétail a péri cet hiver à cause du grand froid[1].

PATHELIN

Vingt sous ! Vingt sous !

LE DRAPIER

Eh, je vous jure que j'en aurai ce que je dis. Attendez donc samedi[2] : vous verrez ce que ça vaut. La toison,

1. On a voulu dater *La Farce de Maître Pathelin* de 1464, parce que l'hiver fut particulièrement rude cette année-là. Mais on ne peut se fonder sur ce qui n'est pour le Drapier qu'un argument pour justifier le prix exorbitant de son étoffe.

2. *Samedi* : c'est le jour du marché et c'est alors qu'on peut voir comment s'établissent les prix. C'est aussi le jour où, à cause de l'affluence, on expose au pilori ceux qui sont condamnés pour leurs filouteries (voir vers 486). C'est ce jour-là également que le Drapier, plein de rage d'avoir été dupé, imagine qu'il pourra obliger Pathelin à lui rendre son étoffe (voir vers 1048-1049).

Dont il solloit estre foison,
Me cousta, a la Magdalaine,
Huit blans, par mon serment, de laine
Que je souloye avoir pour quattre.

PATHELIN

Par le sanc bieu, sans plus debatre,
Puis qu'ainsi va, donc je marchande.
Sus ! aulnés.

LE DRAPPIER

Et je vous demande
Combien vous en fault il avoir ?

PATHELIN

Il est bien aisé a savoir.
Quel lé a il ?

LE DRAPPIER

Lé[1] *de Brucelle.*

PATHELIN

Trois aulnes pour moy, et pour elle —

1. *Lé* est ajouté d'après le manuscrit Bigot.

qu'on trouve d'habitude en abondance, m'a coûté, à la Sainte-Madeleine, huit blancs[1], parole! pour une laine que j'avais d'ordinaire pour quatre.

PATHELIN

Palsambleu, sans plus discuter, s'il en est ainsi, j'achète. Allez, mesurez.

LE DRAPIER

Hé, je vous demande combien vous en voulez?

PATHELIN

C'est facile à savoir. De quelle largeur est-elle?

LE DRAPIER

Elle est au lé de Bruxelles[2].

PATHELIN

Trois aunes pour moi, et pour elle —

1. Le *blanc* est une pièce de monnaie qui valait environ cinq deniers. *Par mon serment de laine* est devenu une plaisanterie, et ce galimatias sera repris par Rabelais dans la plaidoirie du seigneur de Humevesne (*Pantagruel*, chap. XII). Mais pour le spectateur, cette incohérence de propos conduit à un sens. *Par mon serment* signifie à l'origine : « par mon sacrement, par mon baptême », mais l'expression, devenue banale, comporte seulement une nuance solennelle. Employée ici par le marchand pour garantir la véracité de ses dires, elle souligne pour les spectateurs que cette protestation de vérité est fausse.

2. Le *lé de Bruxelles* est de deux aunes, soit environ 2,40 mètres. L'étoffe est donc pliée en deux sur le rouleau.

Elle est haulte… deux et demye.
Ce sont six aulnes, ne sont mie ?
Et non sont ! Que je suis becjaune !

LE DRAPPIER

Il ne s'en fault que demie aulne
Pour faire les six justement.

PATHELIN

J'en prendray six tout rondement ;
Aussi me fault il chapperon.

LE DRAPPIER

Prenés la, nous les aulneron.
Si sont elles cy sans rabatre :
Empreu, et deux, et trois, et quattre,
Et cincq, et six.

PATHELIN

Ventre sainct Pierre,
Ric a ric !

elle est grande… deux aunes et demie. Ce qui fait six aunes, c'est bien ça ? Mais non ! Que je suis sot !

LE DRAPIER

Il ne manque qu'une demi-aune pour arriver à six aunes juste.

PATHELIN

J'en prendrai six pour faire le compte rond. Aussi bien j'ai besoin d'un chaperon.

LE DRAPIER

Prenez ce bout-là, nous allons mesurer. On va les trouver ici sans discussion[1] : un, et deux, et trois, et quatre, et cinq, et six.

PATHELIN

Ventre saint Pierre, ric-rac[2] !

1. *Sans rabatre* dit le texte original. Le sens en est : « sans faire de rabais ».

2. Muni de son aune, le Drapier mesure la longueur de sa pièce dont il a annoncé qu'elle devait faire exactement ce que demandait Pathelin ; mais elle est sans doute plus courte et il fait glisser sa règle à chaque mesure pour arriver *ric a ric* (« ric-rac ») au bout. Pathelin, qui n'est pas dupe, souligne que c'est bien juste, mais fait ensuite le grand seigneur pour amadouer le Drapier.

LE DRAPPIER

Aulneray je ariere ?

PATHELIN

Nenny, de par une longaine !
Il y a ou plus perte ou plus gaigne
En la marchandise. Combien
Monte tout ?

LE DRAPPIER

Nous le sçauron bien.
A vingt et quattre solz chascune,
Les six, neuf frans.

PATHELIN

Hen, c'est pour une !
Ce sont six escus[1] *?*

LE DRAPPIER

M'aist Dieu, voire.

1. Levet et Le Roy : *huit escus.*

LE DRAPIER

Dois-je recommencer ?

PATHELIN

Non, inutile, par les gogues[1] ! Quand on achète, il y a tantôt moins tantôt plus. À combien se monte le tout ?

LE DRAPIER

Nous allons le savoir. À vingt-quatre sous l'une, les six font neuf francs.

PATHELIN

Hein !
[*À part*.] Je me fais avoir[2] !
Ça fait six écus[3] ?

LE DRAPIER

Mon Dieu, oui.

1. Le texte dit : *de par une longaine*, et produit un effet de double sens : la *longaine* est une fosse d'aisance, et son évocation, qui n'a rien d'appétissant, souligne le caractère nauséabond de l'opération du Drapier ; mais dans *longaine*, il y a « long », et dans ce discours d'assentiment sur la longueur de la pièce, ce mot se trouve comme édulcoré et égare le Drapier. Il n'a pas été possible de conserver ce double aspect dans la traduction, qui rend le sens, mais perd le rapport à long et à la discussion en cours.

2. Le texte dit : *c'est pour une !* Le sens de cette expression n'est pas clair. Il semble que *une* soit là pour « un mauvais tour ».

3. Le texte de Levet porte en réalité *huit escus*. Nous avons corrigé pour des raisons de cohérence avec le reste de l'œuvre où il est toujours question de six écus et non de huit.

PATHELIN

Or, sire, les voulés vous croire
Jusques a ja, quant vous vendrés ?

Non pas croire : vous les prendrés
A mon huis, en or ou monnoye.

LE DRAPPIER

Nostre Dame ! Je me tordroye
De beaucoup a aler par la !

PATHELIN

Hée ! Vostre bouche ne parla
Depuis, par Monseigneur Saint Gille,
Qu'elle ne disoit pas evangille.
C'est tresbien dit : vous vous tordriés !
C'est cela ! vous ne vouldriés
Jamais trouver nulle achoison
De venir boire en ma maison.
Or y burés vous ceste fois.

LE DRAPPIER

Et ! par saint Jaques, je ne fais
Gueres aultre chose que boire !
Je iray, mais il fait mal d'acroire,
Ce sçavés vous bien, a l'estraine.

PATHELIN

Alors, monsieur, voulez-vous m'en faire crédit jusqu'au moment où vous viendrez ?

[*Au mot crédit, le visage du Drapier se ferme.*]

Non pas « faire crédit » : vous les prendrez chez moi, en or ou en autre monnaie.

LE DRAPIER

Notre Dame ! Ça me ferait un grand détour de passer par là !

PATHELIN

Hé ! depuis un instant, votre bouche, par monseigneur saint Gilles, ne dit pas que des paroles de vérité[1]. Comme c'est bien dit : « un grand détour » ! C'est cela ! vous voudriez n'avoir jamais l'occasion de venir prendre un verre chez moi. Eh bien, cette fois vous y boirez.

LE DRAPIER

Hé, par saint Jacques, je passe mon temps à boire ! J'irai, mais ce n'est pas bien de faire crédit pour la première vente, vous le savez bien.

1. La phrase est ici contournée à dessein pour éviter de dire nettement à l'interlocuteur qu'il ment. Elle renvoie de plus le mensonge au passé, elle déplace la responsabilité du mensonge du locuteur à sa bouche et elle utilise une litote par négation : votre bouche *ne disoit pas evangille.*

PATHELIN

Souffist il se je vous estraine
D'escus d'or, non pas de monnoye?
Et si mengerés de mon oye,
Par Dieu, que ma femme rotist.

LE DRAPPIER

Vraiement, cest homme m'asotist!
Alés devant. Sus! je yray doncques
Et le porteray.

PATHELIN

Rien quiconques!
Que me grevera il? Pas maille:
Soubz mon esselle.

LE DRAPPIER

Ne vous chaille.
Il vault mieulx, pour le plus honeste,
Que je le porte.

PATHELIN

Male feste
M'envoise[1] *la Saincte Magdalene*
Se vous en prenés ja la paine!
C'est tresbien dit: dessoulz l'esselle!
Cecy m'y fera une belle

1. Le vers est trop long d'une syllabe. Il semble que le subjonctif *envoise* soit une correction d'une forme plus ancienne qui était *envoist*, qui se rencontre bien dans le manuscrit BN fr. 25467.

PATHELIN

Serez-vous satisfait si pour la première vente, je vous paie en écus d'or et non pas en autre monnaie ? et en plus, vous goûterez à mon oie, par Dieu, que ma femme fait rôtir[1].

LE DRAPIER

[*À part.*] Vraiment, cet homme me fait perdre la tête ! Allez devant. Bon, j'irai donc et vous la porterai.

PATHELIN

Mais non, pas du tout ! Ça ne me gênera pas le moins du monde.

[*Il cale l'étoffe sous son bras tandis que le Drapier continue de s'y accrocher.*]

Là, sous mon aisselle.

LE DRAPIER

Non, laissez, il vaut mieux — ce sera plus convenable — que je la porte moi-même.

PATHELIN

Je veux qu'il m'arrive malheur à la Sainte-Madeleine, si vous prenez cette peine ! C'est très bien dit : sous l'aisselle ! Voilà qui m'y fera une belle

1. Cette incidente déclenche des rapprochements incongrus. De plus, il existe une expression proverbiale : « faire manger de l'oie », qui signifie « tromper » (voir le vers 1577). Le texte original ajoute une équivoque dans la rime qui allie dans une identité phonique *monnoye* et *mon oye*.

Bosse ! Ha ! c'est tresbien alé !
Il y aura et beu et gallé
Chiés moy ains que vous en allés.

LE DRAPPIER

Je vous pri que vous me baillés
Mon argent des que je y seray.

PATHELIN

Feray. Et par Dieu, non feray
Que n'ayez prins vostre repas
Tresbien, et si ne vouldroie pas
Avoir sur moy de quoy paier.
Au mains viendrés vous[1] *essaier*
Quel vin je boy : vostre feu pere,
En passant huchoit bien : « Compere ! »
Ou « Que dis tu ? » ou « Que fais tu ? »
Mais vous ne prisés ung festu,
Entre vous riches, les povres hommes.

LE DRAPPIER

Et, par le sanc bieu, nous sommes
Plus povres !

PATHELIN

Ouay, a Dieu ! a Dieu !
Rendés vous tantost audit lieu
Et nous beuron bien, je m'en vant.

1. *Vous* est ajouté d'après le manuscrit La Vallière et Le Roy.

bosse ! Ha, c'est arrangé ! il y aura de quoi boire et faire la fête chez moi avant que vous en partiez.

LE DRAPIER

Je vous prie de me donner mon argent dès que j'arriverai.

PATHELIN

Bien sûr ! Hé, par Dieu, non ! Je n'en ferai rien avant que vous ayez pris un bon repas, et d'ailleurs je ne voudrais pas avoir sur moi de quoi payer. Au moins viendrez-vous goûter quel vin je bois[1]. Votre défunt père appelait en passant : « Compère ! » ou « Quelles nouvelles ? » ou « Que fais-tu ? ». Mais vous autres, les riches, vous ne faites aucun cas des pauvres gens.

LE DRAPIER

Hé, par la sambieu, les pauvres gens, c'est nous !

PATHELIN

Ouais, adieu, adieu ! Venez vite au rendez-vous et nous boirons un bon coup, je vous l'assure.

1. Formule à double sens : un sens littéral destiné au Drapier, et un sens figuré trahissant les véritables intentions de Pathelin, destiné au spectateur, qui aurait son équivalent dans l'expression : « vous allez voir de quel bois je me chauffe ».

LE DRAPPIER

Si feray je. Alés devant,
Et que j'aye or.

PATHELIN

Or ? et quoy doncques ?
Or ? deable ! je n'y failly oncques,
Non ? or ? qu'il peust[1] *estre pendu !*
Endea ! il ne m'a pas vendu
A mon mot, ce a esté au sien,
Mais il sera paié au mien.
Il luy fault or ? On le luy fourre !
Pleust a Dieu qu'il ne fist que courre
Sans cesser jusqu'a fin de paye.
Sainct Jehan ! il feroit plus de voye
Qu'il n'y a jusque a Pampelune.

LE DRAPPIER

Ilz ne verront soleil ne lune,
Les escus qu'il me baillera
De l'an, qui ne les m'emblera.
Or n'est il si fort entendeur
Qui ne treuve plus fort vendeur !
Ce trompeur la est bien becjaune
Quant, pour vingt quattre solz l'aune
A prins drap qui n'en vault pas vingt !

1. Levet et Le Roy : *peult.*

LE DRAPIER

Je vais venir. Allez devant, et payez-moi en or.

[*Pathelin quitte le Drapier et reste en scène.*]

PATHELIN

En or ? et quoi encore ? En or ? diable ! je n'ai jamais manqué à mes promesses, non ? En or ? qu'il aille se faire pendre ! Ah çà ! il ne m'a pas vendu l'étoffe à mon prix, il l'a vendue au sien, mais il sera payé au mien. Il lui faut de l'or ? Compte toujours ! Mon Dieu, je voudrais qu'il ne s'arrête pas de courir jusqu'à complet paiement. Saint Jean ! il ferait plus de chemin que d'ici à Pampelune.

LE DRAPIER [*de son côté*]

Ils ne verront ni soleil ni lune[1], les écus qu'il me donnera, de toute une année, si on ne me les vole pas. Ah, il n'est client si madré qui ne trouve vendeur plus rusé ! Ce trompeur-là est bien jeunet[2], lui qui a pris à vingt-quatre sous l'aune une étoffe qui n'en vaut pas vingt !

1. *Ils ne verront ni soleil ni lune* : le Drapier va les garder à l'abri des regards indiscrets, les « mettre à l'ombre ». Le personnage énonce quelque chose que le public comprend autrement...
2. *Becjaune* désigne à l'origine le jeune merle de l'année, qui a le bec jaune alors qu'il est noir chez l'adulte. Le terme a vu son acception étendue à tous les naïfs.

PATHELIN

En ay je ?

GUILLEMETTE

De quoy ?

PATHELIN

Que devint
Vostre vielle coste hardie ?

GUILLEMETTE

Il est grant besoing qu'on le die !
Qu'en voulés vous faire ?

PATHELIN

Rien, rien.

En ay je ? Je le disoie bien.

Est il ce drap cy ?

GUILLEMETTE

Saincte Dame !
Or, par le peril de mon ame,
Il vient d'aucune couverture.
Dieux ! dont nous vient ceste aventure ?
Helas ! helas ! qui le payera ?

[*SCÈNE 3*]

[PATHELIN, GUILLEMETTE]

PATHELIN [*l'étoffe dissimulée sous son vêtement*]

En ai-je ?

GUILLEMETTE

De quoi ?

PATHELIN

Qu'est devenue votre vieille robe ?

GUILLEMETTE

C'est bien le moment d'en parler ! Que voulez-vous en faire ?

PATHELIN

Rien, rien.

[*Montrant la bosse sous son vêtement*]

En ai-je ? Je vous le disais bien.

[*Sortant l'étoffe*]

Et ça, est-ce de l'étoffe ?

GUILLEMETTE

Sainte Vierge ! Çà, par le salut de mon âme, elle provient de quelque filouterie. Dieu, qu'est-ce qui nous arrive ? Hélas, hélas, qui va payer ?

PATHELIN

Demandés vous qui ce fera ?
Par saint Jehan, il est ja payé.
Le marchant n'est pas devoyé,
Belle seur, qui le m'a vendu.
Par my le col soye je pendu
S'il n'est blanc comme ung sac de plastre !
Le meschant villain challemastre
En est saint sur le cul !

GUILLEMETTE

Combien
Couste il doncques ?

PATHELIN

Je n'en doy rien.
Il est payé, ne vous en chaille.

GUILLEMETTE

Vous n'aviés denier ne maille !
Il est payé ? en quel monnoye ?

PATHELIN

Et, par le sanc bieu, si avoye,
Dame : j'avoye ung parisi.

GUILLEMETTE

C'est bien alé ! Le beau nisi
Ou ung brevet y ont ouvré.
Ainsi l'avés vous recouvré,
Et quant le terme passera,

PATHELIN

Vous demandez qui va payer ? Par saint Jean, elle est déjà payée. Le marchand qui me l'a vendue n'a pas perdu la tête, ma bonne amie. Qu'on me passe la corde au cou, s'il n'est bien rincé, blanc net comme du plâtre ! Ce misérable coquin l'a dans l'os !

GUILLEMETTE

Pour combien en avez-vous ?

PATHELIN

Je ne dois rien. Elle est payée, ne vous inquiétez pas.

GUILLEMETTE

Vous n'aviez pas un sou ! Elle est payée ? avec quel argent ?

PATHELIN

Hé, palsambleu, j'en avais, madame : j'avais un parisis[1].

GUILLEMETTE

Sornettes ! Une traite ou une reconnaissance de dettes ont fait l'affaire. C'est comme ça que vous l'avez obtenue. Et quand arrivera l'échéance,

1. *Parisis* : monnaie de la valeur d'un denier qui avait cours à Paris, en Île-de-France. On s'est appuyé sur cette particularité pour dire que *La Farce de Maître Pathelin* ne pouvait avoir été écrite en Normandie, où l'on utilisait les deniers tournois (voir la Préface, p. 38-39).

On viendra, on nous gaigera,
Quancque avons nous sera osté.

PATHELIN

Par le sanc bieu, il n'a cousté
Que ung denier, quanqu'il en y a.

GUILLEMETTE

Benedicite, Maria !
Que ung denier ? Il ne se peult faire !

PATHELIN

Je vous donne cest yeil[1] *a traire*
S'il en a plus eu ne n'aura,
Ja si bien chanter ne sçaura.

GUILLEMETTE

Et qui est il ?

PATHELIN

C'est ung Guillaume
Qui a seurnom de Jocëaulme,
Puis que vous le voulés sçavoir.

1. *Yeil* : est-ce une graphie singulière de *œil* (leçon de Le Roy) ou une simple erreur typographique ?

on viendra, on nous saisira, et tout ce que nous avons nous sera enlevé.

PATHELIN

Palsambleu, il ne m'en a coûté qu'un denier, pour le tout.

GUILLEMETTE

Benedicite Maria[1] *!* Un seul denier ? C'est impossible.

PATHELIN

Vous pouvez m'arracher un œil, s'il en a eu ou s'il en aura davantage, si haut qu'il puisse piailler.

GUILLEMETTE

Et de qui s'agit-il ?

PATHELIN

C'est un Guillaume[2] du nom de Jossaume, puisque vous voulez le savoir.

1. *Benedicite* (« bénissez ») est le premier mot d'une prière qui invite Dieu à bénir l'action qui va être entreprise. Elle sert, dans la bouche de Guillemette, à invoquer l'assistance de Dieu ou de la Vierge au moyen de mots en latin, censés sans doute avoir plus de pouvoir.

2. *Un Guillaume* : on peut comprendre « un certain Guillaume ». Mais ce prénom, aussi banal que Jean ou Martin, a fini par désigner un sot destiné à être dupé (peut-être par suite de sa parenté avec *guile*, « tromperie »).

GUILLEMETTE

Mais la maniere de l'avoir
Pour ung denier ? Et a quel jeu ?

PATHELIN

Ce fut pour le denier a Dieu.
Et encore, se j'eusse dit :
« La main sur le pot ! », par ce dit
Mon denier me fust demeuré.
Au fort, est ce bien labouré ?
Dieu et luy partiront ensemble
Ce denier la, se bon leur semble,
Car c'est tout quantqu'ilz en auront,
Ja si bien chanter ne sauront,
Ne pour crier ne pour brester !

GUILLEMETTE

Comment l'a il voulu prester,
Luy qui est ung homs si rebelle ?

PATHELIN

Par saincte Marie la belle,
Je l'ay armé et blasonné
Si qu'il le m'a presque donné.
Je luy disoie que son feu pere
Fut si vaillant. « Ha, faiz je, frere,
Qu'estes vous de bon parentage !
Vous estes, fais je, du lignage
D'icy entour plus a louer. »

GUILLEMETTE

Mais la manière de l'avoir pour un denier ? Et quel jeu lui avez-vous joué ?

PATHELIN

Ce fut pour le denier à Dieu. Et même, si j'avais dit « La main sur le pot[1] », avec ces mots-là, j'aurais gardé le denier. Quoi qu'il en soit, n'est-ce pas du beau travail ? Il s'arrangera avec Dieu pour partager ce denier-là, si bon leur semble, car c'est bien tout ce qu'ils en auront ; ils peuvent toujours chanter, crier ou brailler !

GUILLEMETTE

Comment a-t-il consenti à la donner à crédit, lui qui est un homme si intraitable ?

PATHELIN

Par sainte Marie la belle, je lui ai mis une telle couche de flatteries qu'il me l'a presque donnée. Je lui disais que son défunt père était un homme si remarquable... : « Ha, lui dis-je, mon ami, que vous êtes de bonne famille ! Vous êtes, dis-je, de la famille la plus honorable de la région. »

1. *La main sur le pot* : coutume de marchands habitués à faire leurs transactions sur la parole échangée. On concluait l'affaire en étendant la main sur le pot de vin qu'on était en train de boire ensemble. L'expression du texte aurait son correspondant dans « Tope là ».

Mais je puisse Dieu avouer
S'il n'est atrait d'un peautraille,
La plus rebelle villenaille
Qui soit, se croy je, en ce royaulme.
« Ha, fais je, mon amy Guillaume,
Que ressemblés vous bien de chiere
Et du tout a vostre bon pere ! »
Dieu soit comment j'eschaffauldoye,
Et a la fois j'entrelardoie
En parlant de sa drapperie.
« Et puis, fais je, saincte Marie !
Comment prestoit il doulcement
Ses denrées, si humblement !
C'estes vous, fais je, tout crachié ! »
Toutesfois, on eust arrachié
Les dens du villain marsouyn
Son feu pere, et du babouyn
Le filz, avant qu'il emprestassent...

... Cecy, ne que ung beau mot parlassent.
Mais au fort ay je tant bretté
Et parlé, qu'il m'en a presté
Six aulnes.

GUILLEMETTE

Voire, a jamais rendre ?

PATHELIN

Ainsi le devés vous entendre.
Rendre ? On luy rendra le deable !

Mais je prends Dieu à témoin qu'il est issu de la plus intraitable engeance, de la plus fieffée race de coquins qui soit, je crois, dans ce royaume. « Ha, dis-je, mon ami Guillaume, que vous ressemblez bien de visage comme du reste à votre bon père ! » Dieu sait ce que j'ai imaginé, et, de temps à autre, j'y glissais quelques mots sur ses étoffes. « Et puis, lui dis-je, sainte Marie ! avec quelle gentillesse il faisait crédit de sa marchandise, avec quelle simplicité ! C'est vous, lui dis-je, tout craché ! » Pourtant on aurait pu arracher les dents du vieux sapajou, son défunt père, et de son macaque de fils, avant qu'ils vous prêtent…

[*Faisant claquer son ongle contre ses dents*]

… ça ou qu'ils sortent une parole aimable.
Mais au bout du compte, je l'ai tant pressé de paroles qu'il m'en a donné six aunes à crédit.

GUILLEMETTE

Qui, bien sûr, ne seront jamais payées ?

PATHELIN

C'est bien ce qu'il faut comprendre. Payer ? Qu'il s'adresse au diable[1] !

1. Pathelin joue ici avec un proverbe du temps qui disait : « Dieu est au prêt mais le diable est au rendre » (Gringore, *Les Abus du Monde*, v. 2079).

GUILLEMETTE

Il m'est souvenu de la fable
Du corbeau qui estoit assis
Sur une croix de cincq a six
Toises de hault, lequel tenoit
Ung formage au bec. La venoit
Ung renart qui vit le formage,
Pença a luy : « Comment l'auray je ? »
Lors se mist desoubz le corbeau.
« Ha, fist il, tant as le corps beau,
Et ton chant plain de melodie ! »
Le corbeau par sa cornardie,
Oyant[1] *son chant ainsi vanter,*
Si ouvrit le bec pour chanter
Et son formage chet a terre.
Et maistre Renart le vous serre
A bonnes dens, et si l'emporte.
Ainsi est il, je m'en fais forte,
De ce drap : vous l'avés happé
Par blasonner, et atrapé
En luy usant de beau langaige,
Comme fist Renart du formage.
Vous l'en avés prins par la moe.

1. Levet et Le Roy : *En oyant*.

GUILLEMETTE

Vous me rappelez la fable du corbeau[1] qui était perché sur une croix de cinq à six toises de haut[2]; il tenait un fromage dans son bec. Arrivait là un renard qui vit le fromage et qui pensa en lui-même : « Comment l'aurai-je ? » Il se mit alors sous le corbeau. « Ha, fit-il, que tu as le corps beau et comme ton chant est mélodieux ! » Le corbeau dans sa bêtise, en entendant ainsi vanter son chant, ouvrit le bec pour chanter ; son fromage tombe à terre ; et maître Renard d'y planter les dents et de l'emporter. Il en est allé de même, j'en suis sûre, pour cette étoffe : vous l'avez piégé par la flatterie et vous l'avez attrapé à force de belles paroles, comme Renard pour le fromage. Vous l'avez pris par vos grimaces.

1. La *fable du corbeau* est à l'origine une fable de Phèdre, qui écrit en latin au Ier siècle de notre ère. Elle fut connue tout au long du Moyen Âge ; Marie de France, au XIIe siècle, la reprit dans un de ses *Ysopets*, et elle fournit un épisode fameux de la branche II du *Roman de Renart*. Par cette fable, Guillemette associe ces deux maîtres trompeurs que furent Renart et Pathelin.

2. Dans aucun des épisodes du *Roman de Renart*, le corbeau n'est perché sur une croix ; il y a probablement eu contamination entre l'épisode évoqué (branche II), où Renart est perché sur un arbre, et un autre épisode (branche XIV), où le chat, juché en haut de la croix, y déguste dévotement une andouille, au grand dépit de Renart à qui il expose que ce mets divin ne peut être mangé qu'en un lieu sacré. Une *toise* vaut environ deux mètres.

PATHELIN

Il doit venir menger de l'oe.
Mais vecy qu'il nous fauldra faire.
Je suis certain qu'il viendra braire
Pour avoir argent promptement.
J'ay pensé bon appointement :
Il convient que je me couche
Comme malade sur ma couche,
Et quant il viendra, vous dirés :
« Ha, parlés bas ! », et gemirés
En faisant une chere fade,
« Las, ferés vous, il est malade,
Passé deux mois ou six sepmaines. »
Et s'i vous dit : « Ce sont trudaines,
Il vient d'avec moy tout venant ! »
« Helas ! ce n'est pas maintenant,
Ferés vous, qu'il fault rigoller ! »
Et le me laissés flageoller,
Car il n'en aura autre chose.

GUILLEMETTE

Par l'ame qui en moy repose,
Je feray tresbien la maniere.
Mais se vous renchéez ariere,
Que justice vous en repreigne,
Je me doubte qu'il ne vous preigne
Pis la moitié qu'a l'autre fois.

PATHELIN

Or paix ! je soy bien que je fais.
Il fault faire ainsi que je dy.

PATHELIN

Il doit venir manger de l'oie. Alors voici ce qu'il nous faudra faire. Je suis certain qu'il va venir brailler pour avoir promptement son argent. J'ai pensé à un bon tour : il faut que je me couche sur mon lit comme si j'étais malade. Et quand il viendra, vous direz : « Ha, parlez bas ! » et vous gémirez en faisant triste visage. « Hélas, ferez-vous, il est malade, depuis six semaines ou deux mois. » Et s'il vous dit : « Ce sont des balivernes, il vient de me quitter, à l'instant ! », « Hélas, ferez-vous, ce n'est pas le moment de plaisanter ! », et vous me le laisserez dégoiser, car il n'obtiendra rien d'autre.

GUILLEMETTE

Par l'âme que je porte en moi, je jouerai très bien mon rôle. Mais si vous êtes repris et que justice remette la main sur vous, je crains qu'il ne vous en cuise deux fois plus que la dernière fois.

PATHELIN

Allons, taisez-vous, je sais bien ce que je fais. Il faut faire ce que je dis.

GUILLEMETTE

Souviengne vous du samedi,
Pour Dieu, qu'on vous pilloria.
Vous sçavés que chascun cria
Sur vous pour vostre tromperie.

PATHELIN

Or laissiés celle baverie.
Il viendra, nous ne gardons l'eure.
Il fault que ce drap nous demeure.
Je m'en vois coucher.

GUILLEMETTE

Allés doncques.

PATHELIN

Or ne riés point.

GUILLEMETTE

Rien quiconques,
Mais pleureray a chaudes lermes.

PATHELIN

Il nous fault estre tous deux fermes,
Affin qu'il ne s'en apperçoive.

GUILLEMETTE

Pour Dieu, souvenez-vous du samedi où on vous mit au pilori[1]. Vous savez que chacun vous injuria à cause de vos tromperies.

PATHELIN

Allons, laissez ce bavardage. Il va venir d'un moment à l'autre. Il faut que cette étoffe nous reste. Je vais me coucher.

GUILLEMETTE

Allez-y donc.

PATHELIN

Et ne riez point !

GUILLEMETTE

Pas de danger ! je vais plutôt pleurer à chaudes larmes.

PATHELIN

Il nous faut tous deux garder notre sérieux, pour qu'il ne s'aperçoive de rien.

1. *Pilori* : plate-forme sur laquelle on exposait, enchaînés et la tête dans un carcan, ceux qui avaient été condamnés à être ainsi exposés publiquement. Ceci se passait donc le samedi, jour de marché où l'affluence dans la ville était la plus grande (voir vers 248).

LE DRAPPIER

Je croy qu'il est temps que je boive
Pour m'en aler... Hé ! non feray !
Je doy boyre et si mengeray
De l'oe, par saint Mathelin,
Chiés maistre Pierre Pathelin,
Et la receveray je pecune.
Je happeray la une prune
A tout le moins, sans rien despendre.
Je y vois, je ne puis plus rien vendre.

Hau, maistre Pierre !

LE DRAPIER [*à son étal*]

Je crois que c'est le moment de boire un verre avant de partir. Hé non, inutile. Je dois boire et même manger de l'oie, par saint Mathelin[1], chez maître Pierre Pathelin, et là je recevrai mon argent. Je vais faire là une bonne affaire[2], c'est chose sûre, à moindres frais. J'y vais, je ne peux plus rien vendre maintenant.

[ACTION 2]

[*Sur l'aire de jeu sont disposés :*
à un bout l'étal du Drapier,
et, sur le reste de la scène, les tabourets et un lit qui sont « la maison de Pathelin ».]

[*SCÈNE 1*]

[LE DRAPIER, GUILLEMETTE, PATHELIN]

LE DRAPIER [*devant « la maison de Pathelin »*]

Ho, maître Pierre !

1. *Saint Mathelin* (forme populaire de Mathurin) est censé guérir de la folie. Le Drapier paraît fasciné par Pathelin et invoque un saint dont le nom est tout proche de celui de Pathelin.

2. *Happer une prune*, dit le texte original : c'est, pour le Drapier, une métaphore qui signifie « profiter d'une aubaine », mais, pour le public, elle signifie « éprouver une déconvenue ».

GUILLEMETTE

Helas, sire,
Pour Dieu, se vous voulés rien dire,
Parlés plus bas.

LE DRAPPIER

Dieu vous gart, dame.

GUILLEMETTE

Ho ! plus bas !

LE DRAPPIER

Et quoy ?

GUILLEMETTE

Bon gré m'ame...

LE DRAPPIER

Ou est il ?

GUILLEMETTE

Las ! ou doit il estre ?

LE DRAPPIER

Le... Qui ?

GUILLEMETTE

Hélas, monsieur, par Dieu, si vous avez quelque chose à dire, parlez plus bas.

LE DRAPIER

Dieu vous garde, madame.

GUILLEMETTE

Ho ! plus bas !

LE DRAPIER

Et qu'y a-t-il ?

GUILLEMETTE

Par mon âme…

LE DRAPIER

Où est-il ?

GUILLEMETTE

Hélas, où doit-il être ?

LE DRAPIER

Le… Qui ?

GUILLEMETTE

Ha, c'est mal dit, mon maistre.
Ou il est ? Et[1]*, Dieu par sa grace*
Le sache ! Il garde la place.
Ou il est ? le povre martir,
Unze sepmaines, sans partir !

LE DRAPPIER

De... Qui ?

GUILLEMETTE

Pardonnés moy, je n'ose
Parler hault : je croy qu'il repose.
Il est ung petit aplommé.
Helas ! il est sy assommé,
Le povre homme !

LE DRAPPIER

Qui ?

GUILLEMETTE

Maistre Pierre.

LE DRAPPIER

Ouay ! n'est il pas venu querre
Six aulnes de drap maintenant ?

GUILLEMETTE

Qui ? luy ?

1. *Et* est ajouté d'après le manuscrit La Vallière.

GUILLEMETTE

Ha, c'est mal dit, mon maître. Où il est ? Hé, Dieu en sa grâce le sache ! Il garde le lit. Où il est ? Le pauvre martyr, onze semaines, sans en bouger !

LE DRAPIER

De… Qui ?

GUILLEMETTE

Pardonnez-moi, je n'ose parler haut : je crois qu'il reposc. Il est un peu assoupi. Hélas, il est complètement assommé, le pauvre homme !

LE DRAPIER

Qui ?

GUILLEMETTE

Maître Pierre.

LE DRAPIER

Ouais ! n'est-il pas venu chercher six aunes de tissu à l'instant ?

GUILLEMETTE

Qui ? Lui ?

LE DRAPPIER

Il en vient tout venant,
N'a pas la maitié d'un quart de heure.
Delivrés moy dea, je demeure
Beaucoup. Sa, sans plus flageoler,
Mon argent !

GUILLEMETTE

Hée ! sans rigoler !
Il n'est pas temps que l'en rigole.

LE DRAPPIER

Sa ! mon argent ! Estes vous folle ?
Il me fault neuf frans !

GUILLEMETTE

Ha, Guillaume,
Il ne fault point couvrir de chaume
Icy, ne bailler ses brocars.
Alés sorner a voz cocars,
A qui vous vouldriés jouer.

LE DRAPPIER

Je puisse Dieu desavouer
Se je n'ay neuf frans !

GUILLEMETTE

Helas, sire,
Chescun n'a pas si fain de rire
Comme vous, ne de flagorner.

LE DRAPIER

Il en vient, il en sort, il n'y a pas la moitié d'un quart d'heure. Payez-moi, que diable ! Je perds trop de temps. Çà, sans plus de caquetage, mon argent !

GUILLEMETTE

Hé, pas de plaisanterie ! Ce n'est pas le moment de plaisanter.

LE DRAPIER

Çà, mon argent ! Êtes-vous folle ? Il me faut neuf francs !

GUILLEMETTE

Ha, Guillaume, ce n'est pas ici qu'il faut venir faire des farces ou lancer ses moqueries. Allez conter vos sornettes aux sots avec qui vous voudriez jouer.

LE DRAPIER

Je veux bien renier Dieu si je n'ai neuf francs !

GUILLEMETTE

Hélas, monsieur, tout le monde n'a pas envie de rire comme vous, ni de débiter des sottises.

LE DRAPPIER

Dictes, je vous prie, sans sorner,
Par amour, faictes moy venir
Maistre Pierre.

GUILLEMETTE

Mesavenir
Vous puist il ! et esse a meshuy ?

LE DRAPPIER

N'esse pas ceans que je suy
Chés maistre Pierre Pathelin ?

GUILLEMETTE

Ouy. Le mal sainct Maturin,
Sans le mien, au cerveau[1] *vous tienne !*
Parlés bas !

LE DRAPPIER

Le deable y avienne !
Ne l'oserais je demander ?

GUILLEMETTE

A Dieu me puisse commander !
Bas ! se voulés qu'il ne s'esveille.

LE DRAPPIER

Quel bas voulés vous ? en l'oreille,
Ou au fons du puis ou de la cave ?

1. Levet et Le Roy : *cœur*. La correction est d'Emmanuel Philippot.

LE DRAPIER

Allons, je vous en prie, sérieusement, s'il vous plaît, faites-moi venir maître Pierre.

GUILLEMETTE

Malheur à vous ! N'est-ce pas fini ?

LE DRAPIER

Ne suis-je pas ici chez maître Pierre Pathelin ?

GUILLEMETTE

Oui. Que le mal saint Mathurin — Dieu m'en préserve — s'empare de votre cerveau ! Parlez bas !

LE DRAPIER

Que le diable s'y retrouve ! N'ai-je pas le droit de le demander ?

GUILLEMETTE

Je veux m'en remettre à Dieu ! Bas ! si vous ne voulez pas qu'il se réveille.

LE DRAPIER

Quel bas[1] voulez-vous ? à l'oreille ? ou au fond du puits ou de la cave ?

1. *Bas* est fréquemment employé dans la langue populaire du XVe siècle pour désigner le sexe féminin. Il n'est pas exclu qu'il y ait ici une équivoque voulue, que le jeu de Guillaume peut rendre plus explicite.

GUILLEMETTE

Hé Dieu, que vous avés de bave.
Au fort, c'est tousjours vostre guise.

LE DRAPPIER

Le deable y soit quant je m'avise !
Se voulés que je parle bas
Dictes sa : quant est de debas
Itelz, je ne l'ay point aprins.
Vray est que maistre Pierre a prins
Six aulnes de drap au jour d'uy.

GUILLEMETTE

Et qu'est ce ? Esse a meshuy ?
Deable y ait part ! Aga ! qué prendre ?
Ha, sire, que l'en le puist pendre
Qui ment. Il est en tel parti
Le povre homme, qu'il ne parti
Du lit y a unze sepmaines.
Nous bailliez vous de voz trudaines
Maintenant ? En esse raison ?
Vous vuiderés de ma maison
Par les angoisses Dieu, moy lasse !

LE DRAPPIER[1]

Vous disïés que je parlasse
Si bas : saincte benoiste Dame,
Vous criés !

1. Cette réplique est attribuée par erreur à Pathelin.

GUILLEMETTE

Hé, Dieu ! que de bavardage !
D'ailleurs vous êtes toujours comme ça.

LE DRAPIER

C'est diabolique quand j'y pense ! Si vous voulez que je parle bas, écoutez un peu : pour ce qui est de ce genre de plaisanteries, je ne m'y connais pas. Ce qui est vrai, c'est que maître Pierre a pris six aunes d'étoffe aujourd'hui.

GUILLEMETTE

Qu'est-ce que c'est que ça ? N'est-ce point fini ? Au diable tout cela ! Voyons, quel « prendre » ? Ha, monsieur, la corde pour celui qui ment ! Il est dans un tel état, le pauvre homme, qu'il n'a pas quitté le lit depuis onze semaines. Allez-vous nous débiter vos calembredaines maintenant ? Est-ce raisonnable ? Vous sortirez de ma maison, par la Passion du Christ, malheureuse que je suis !

LE DRAPIER

Vous disiez que je devais parler tout bas : sainte Vierge Marie, vous criez !

GUILLEMETTE

C'estes vous, par m'ame,
Qui ne parlés fors que de noise !

LE DRAPPIER

Dictes, affin que je[1] *m'en voise,*
Baillés moy...

GUILLEMETTE

Parlés bas. Ferés ?

LE DRAPPIER

Mais vous mesmes l'esveillerés !
Vous parlés plus hault quattre foys,
Par le sanc bieu, que je ne fais.
Je vous requier qu'on me delivre.

GUILLEMETTE

Et qu'esse cy ? Estes vous yvre
Ou hors du sens ? Dieu nostre pere !

LE DRAPPIER

Yvre ? Maugré en ait saint Pere !
Vecy une belle demande !

GUILLEMETTE

Helas, plus bas !

1. *Je* est ajouté d'après le manuscrit La Vallière et Le Roy.

GUILLEMETTE

C'est vous qui criez, sur mon âme ! vous qui n'avez que disputes à la bouche !

LE DRAPIER

Dites, pour que je m'en aille, donnez-moi…

GUILLEMETTE

Parlez bas, voulez-vous !

LE DRAPIER

Mais c'est vous-même qui allez le réveiller ! Vous parlez quatre fois plus fort que moi, palsambleu ! Je vous demande de me payer.

GUILLEMETTE

Et de quoi parlez-vous ? Êtes-vous ivre ou avez-vous perdu la tête, par Dieu notre père ?

LE DRAPIER

Ivre ? Au diable saint Pierre ! La belle question !

GUILLEMETTE

Hélas, plus bas !

LE DRAPPIER

Je vous demande
Pour six aulnes, bon gré sainct George,
De drap, dame.

GUILLEMETTE

On le vous forge !
Et a qui l'avés vous baillé ?

LE DRAPPIER

A luy mesmes.

GUILLEMETTE

Il est bien taillé
D'avoir drap ! Helas, il ne hobe.
Il n'a nul mestier d'avoir robe.
Jamais robe ne vestira
Que de blanc, ne ne partira
Dont il est que les piés devant.

LE DRAPPIER

C'est donc depuiz soleil levant,
Car j'ay a luy parlé, sans faulte.

GUILLEMETTE

Vous avés la voix si treshaulte !
Parlés plus bas, en charité !

LE DRAPPIER

C'estes vous, par ma vérité !
Vous mesmes, en sanglante estraine !

LE DRAPIER

Par saint Georges, je vous demande, madame, l'argent de six aunes d'étoffe !

GUILLEMETTE

Oui, tiens ! Et à qui l'avez-vous donnée ?

LE DRAPIER

À lui-même.

GUILLEMETTE

Il est bien en état d'acheter de l'étoffe ! Hélas, il ne bouge pas. Il n'a aucun besoin d'avoir un habit. Le seul habit qu'il revêtira sera blanc et il ne partira d'où il est que les pieds devant[1].

LE DRAPIER

C'est donc arrivé depuis le lever du soleil, car, aucun doute, je lui ai parlé.

GUILLEMETTE

Vous avez la voix si forte ! Parlez plus bas, par charité !

LE DRAPIER

Mais c'est vous, à la vérité ! vous-même qui criez, malheur de malheur !

1. L'habit *blanc* désigne le linceul ; Guillemette annonce la mort prochaine de Pathelin.

Par le sanc bieu, vecy grant paine !
Qui me paiast, je m'en alasse.
Par Dieu, oncques que je prestasse,
Je n'en trouvé point aultre chose.

PATHELIN

Guillemette, ung peu d'eau rose !
Haussés moy, serrés moy derriere.
Trut ! a qui parlé je ? l'esguiere !
A boire ! Frottés moy la plante !

LE DRAPPIER

Je l'os la.

GUILLEMETTE

Voire.

PATHELIN

Ha, meschante,
Viens ça ! T'avois je fait ouvrir
Ces fenestres ? Vien moy couvrir.
Ostes ces gens noirs ! Marmara !
Carimari, carimara !
Amenés les moy, amenés !

Palsambleu, que d'affaire ! Si on me payait, je m'en irais. Par Dieu, chaque fois que j'ai fait crédit, je n'ai rien récolté d'autre.

PATHELIN [*de son lit*]

Guillemette, un peu d'eau de rose[1] ! Relevez-moi, remontez mon dos. Trut ! à qui parlé-je ? la carafe ! À boire ! Frottez-moi la plante des pieds !

LE DRAPIER

Je l'entends là.

GUILLEMETTE

Oui.

PATHELIN

Ha, malheureuse, viens ici ! T'avais-je fait ouvrir ces fenêtres ? Viens me couvrir. Éloigne ces gens noirs[2] ! *Marmara ! Carimari, carimara*[3] *!* Éloignez-les de moi, éloignez-les !

1. L'*eau de rose* (le texte original dit *eau rose*) est sans doute une préparation à base d'essence de rose diluée dans de l'eau et qui servait à réanimer ceux qui défaillaient. Au chapitre XIII du *Pantagruel* de Rabelais, les conseillers et docteurs, émerveillés de la sentence rendue par Pantagruel, s'évanouirent, et n'en seraient pas revenus « sinon qu'on apporta force vinaigre et eau rose pour leur faire revenir le sens et entendement accoutumé ».

2. Dans le délire feint de Pathelin, ce peut être des moines noirs, comme ceux qui venaient veiller les morts (voir la réplique qui suit). Mais dans le double jeu qu'il mène avec Guillemette, c'est aussi une façon de désigner le Drapier et d'encourager sa femme à le chasser.

3. *Marmara ! Carimari, carimara* : mots incompréhensibles, sorte de formule magique destinée à éloigner les démons

GUILLEMETTE

Qu'esse ? Comment vous demenés !
Estes vous hors de vostre sens ?

PATHELIN

Tu ne vois pas ce que je sens.
Vela ung moine noir qui vole !
Prens le, baillés luy une estole.
Au chat, au chat ! comment il monte !

GUILLEMETTE

Et qu'esse cy ? N'av'ous pas honte ?
Et, par Dieu, c'est trop remué !

PATHELIN

Ces phisicïens m'ont tué
De ces broulliz qu'il m'ont fait boire.
Et toutesfois, les fault il croire,
Ilz en euvrent comme de cire.

GUILLEMETTE

Qu'y a-t-il ? Comme vous vous démenez ! Avez-vous perdu la raison ?

PATHELIN

Tu ne vois pas ce que j'aperçois ! Voilà un moine noir qui vole ! Prends-le ! Passez-lui une étole[1] ! Au chat ! Au chat ! Comme il grimpe !

GUILLEMETTE

Hé, qu'y a-t-il ? N'avez-vous pas honte ? Par Dieu, c'est trop vous agiter !

PATHELIN

Les médecins m'ont tué avec ces drogues qu'ils m'ont fait boire. Et pourtant, il faut leur faire confiance, ils font ce qu'ils veulent[2] !

— peut-être à l'origine une formule cabalistique. Dans les *Sérées* de Guillaume Bouchet, un arracheur de dents prononce une formule voisine : *Gamara*, avant d'opérer. On a rapproché *Marmara* du nom du chat dans certains dialectes italiens ; le chat au Moyen Âge avait souvent un caractère diabolique.

1. L'*étole* est un vêtement liturgique en forme de bande d'étoffe qui se suspendait au cou. Elle servait dans diverses cérémonies du culte et on la passait autour du cou des gens que l'on croyait possédés du diable pour les exorciser.

2. Le texte original dit : *ilz en euvrent comme de cire*, c'est-à-dire ils font facilement leur ouvrage, comme on travaille facilement la cire qui est molle. C'est évidemment le thème d'une satire de la médecine qui avait commencé dès le *Jeu de la Feuillée* au XIIIe siècle et qui se poursuivra longtemps.

GUILLEMETTE

Helas, venés le veoir, beau sire.
Il est si tresmal pacïent !

LE DRAPPIER

Est il malade a bon essient,
Puis orains qu'il vint de la foire ?

GUILLEMETTE

De la foire ?

LE DRAPPIER

Par saint Jehan, voire,
Je cuide qu'il y a esté.
Du drap que je vous ay presté
Il m'en fault l'argent, maistre Pierre.

PATHELIN

Ha, maistre Jehan, plus dur que pierre,
J'ay chié deux petites crotes,
Noires, rondes comme pelotes.
Prendray je ung aultre crisetere[1] *?*

LE DRAPPIER

Et que sçay je ? Qu'en ay je a faire ?
Neuf frans m'y fault, ou six escus !

1. Levet : *cristere*. Corrigé d'après le manuscrit La Vallière.

GUILLEMETTE

Hélas, venez le voir, cher monsieur. Il souffre si horriblement !

LE DRAPIER

Est-il malade pour de vrai, depuis le moment où il est revenu de la foire ?

GUILLEMETTE

De la foire ?

LE DRAPIER

Par saint Jean, oui, je crois qu'il y a été. Pour l'étoffe dont je vous ai fait crédit, il m'en faut l'argent, maître Pierre.

PATHELIN

Ha, j'ai chié deux petites crottes, maître Jean, plus dures que pierre, noires, rondes comme des pelotes. Dois-je prendre un autre clystère[1] ?

LE DRAPIER

Hé, que sais-je ? Qu'en ai-je à faire ? Il me faut neuf francs, ou six écus !

1. Pathelin feint de prendre le Drapier pour le médecin. Le *clystère* (lavement par injection dans le rectum) reste un motif de gros comique courant dans les farces et que Molière ne dédaignera pas.

PATHELIN

Ces trois morceaulx noirs et becuz,
— Les m'appellés vous pillouëres ? —
Ilz m'ont gasté les maschouëres !
Pour Dieu, ne m'en faites plus prendre,
Maistre Jehan : ilz ont fait tout rendre.
Ha, il n'est chose plus amere !

LE DRAPPIER

Non ont, par l'ame de mon pere.
Mes neuf frans ne sont point rendus.

GUILLEMETTE

Par my le col soient pendus
Telz gens qui sont si empeschables !
Alés vous en, de par les deables,
Puis que de par Dieu ne peust estre !

LE DRAPPIER

Par celluy Dieu qui me fist naistre,
J'auray mon drap ains que je fine,
Ou mes neuf frans.

PATHELIN

Et mon orine,
Vous dit elle point que je meure ?
Helas[1] *! Pour Dieu, quoy qu'il demeure,*
Que je ne passe point le pas !

1. *Helas* est ajouté d'après le manuscrit La Vallière et Le Roy.

PATHELIN

Ces trois morceaux noirs et effilés — les appelez-vous des pilules ? — ils m'ont abîmé les mâchoires ! Par Dieu, ne m'en faites plus prendre, maître Jean, ils m'ont fait tout rendre. Ha, je ne connais rien de plus amer[1] !

LE DRAPIER

Non point, par l'âme de mon père. Vous n'avez pas rendu mes neuf francs[2].

GUILLEMETTE

Qu'on pende par le cou des gens aussi importuns ! Allez-vous-en, par tous les diables, puisque de par Dieu c'est impossible !

LE DRAPIER

Par ce Dieu qui m'a donné la vie, j'aurai mon étoffe avant d'en finir, ou bien mes neuf francs.

PATHELIN

Et mon urine, ne vous dit-elle pas que je dois mourir[3] ? Hélas ! Pour Dieu, même si c'est bien long, je demande à ne point passer le pas.

1. Ces *trois morceaux noirs et effilés* que dépeint Pathelin en feignant de les prendre pour des pilules sont des suppositoires. Pathelin continue d'immerger le Drapier dans les détails scatologiques.

2. Le texte joue avec le double sens de *rendre* : « vomir » et « payer ».

3. La médecine faisait fréquemment ses diagnostics par l'examen des urines du malade. Cette question, si incongrue

GUILLEMETTE

Allés vous en ! et n'est ce pas
Mal fait de luy tuer la teste ?

LE DRAPPIER

Damedieu en ait male feste !
Six aulnes de drap, maintenant !
Dictes, est ce chose advenant
Par vostre foy, que je les perde ?

PATHELIN

Se peussiés esclarcir ma merde,
Maistre Jehan ! Elle est si tresdure
Que je ne sçay comment je dure
Quand elle yst hors du fondement.

LE DRAPPIER

Il me fault neuf frans rondement,
Que bon gré sainct Pierre de Romme !

GUILLEMETTE

Helas, tant tormentés cest homme !
Et comment estes vous si rude ?
Vous vés clerement qu'il cuide
Que vous soiés phisicïen.
Helas, le povre chrestïen
A assés de male meschance.
Unze sepmaines, sans laschance,
A esté illec, le povre homme !

GUILLEMETTE

Allez-vous-en ! Hé, n'est-ce pas honteux de lui casser la tête ?

LE DRAPIER

Sacré nom de Dieu, six aunes d'étoffe, tout de suite ! Dites, est-ce convenable, franchement, que je les perde ?

PATHELIN

Si vous pouviez amollir ma merde, maître Jean ! Elle est si dure que je ne sais comment je l'endure quand elle me sort du fondement.

LE DRAPIER

Il me faut neuf francs rondement, par saint Pierre de Rome !

GUILLEMETTE

Hélas, vous torturez honteusement cet homme ! Hé, comment pouvez-vous être si insensible ? Vous voyez clairement qu'il s'imagine que vous êtes médecin. Hélas, le pauvre chrétien, il a assez de malheur, onze semaines, sans répit, il est resté là, le pauvre homme !

---

dans l'échange avec le Drapier, a plu à Rabelais qui la cite dans sa lettre dédicace du *Quart Livre* au cardinal de Chastillon où il présente un malade interrogeant son médecin « à la mode du noble Pathelin ».

LE DRAPPIER

Par le sanc bieu, je ne sçay comme
Cest accident luy est venu,
Car il est au jour d'uy venu,
Et avons marchandé ensemble,
A tout le moins comme il me semble,
Ou je ne sçay que ce peut estre.

GUILLEMETTE

Par Nostre Dame, mon doulx maistre,
Vous n'estes pas en bonne memoire.
Sans faulte, se me voulés croire,
Vous irés ung peu reposer.
Moult de gens pourroient gloser
Que vous venés pour moy ceans.
Alés hors : les phisicïens
Viendront icy tout en presence.
Je n'é cure que l'en y pense
A mal, car je n'y pense point.

LE DRAPPIER

Et maugré bieu, suis je en ce point ?
Par la teste Dieu, je cuidoye...
Encor : et n'avés vous point d'oye
Au feu ?

GUILLEMETTE

C'est tresbelle demande !
Ha, sire, ce n'est pas vïande
Pour malades ; mengés vos oes

LE DRAPIER

Palsambleu, je ne sais pas comment ce mal lui est venu, car il est venu aujourd'hui et nous avons fait affaire ensemble ; au moins, à ce qu'il me semble, ou alors je ne sais pas ce que ça peut être.

GUILLEMETTE

Par Notre Dame, mon bon maître, vous n'êtes pas dans votre état normal ; il est bien besoin, si vous m'en voulez croire, que vous alliez vous reposer un peu. Bien des gens pourraient jaser et dire que vous venez ici pour moi. Sortez : les médecins vont venir présentement ici. Je ne tiens pas que l'on pense à mal, car pour moi je n'y pense pas.

LE DRAPIER

Sacredieu, en suis-je réduit là ? Tudieu, je pensais… Un mot encore : n'avez-vous point d'oie au feu ?

GUILLEMETTE

Belle question ! Ha, monsieur, ce n'est pas une nourriture de malades. Mangez vos oies

Sans nous venir jouer des moes.
Par ma foy, vous estes trop aise !

LE DRAPPIER

Je vous pri qu'il ne vous desplaise,
Car je cudoye fermement...
Encor... Par le sacrement

Dieu... Dea ! or je vois savoir.
Je sçay bien que j'en doy avoir
Six aulnes, tout en une piece.
Mais ceste femme me depiece
De tous poins mon entendement.
Il les a eues vraiement !
Non a ! Dea, il ne se peust joindre[1].
J'ay veu la mort qui le vient poindre
Au mains, ou il le contrefait.
Et si a ! il les print de faict
Et les mist desoubz son essele.
Par Saincte Marie la belle,
Non a ! Je ne sçay se je songe :
Je n'ay point aprins que je donge
Mes draps en dormant ne veillant,
A nul, tant soit mon bien veuillant.
Je ne les eusses point acreues.
Par le sanc bieu, il les a eues !
Par la mort bieu[2]*, non a ! Ce tien je !*

1. Levet : *iondre.*
2. *Bieu* est ajouté d'après le manuscrit La Vallière.

sans venir nous narguer. Par ma foi, vous en prenez trop à votre aise !

LE DRAPIER

Je vous prie de ne pas vous fâcher, car j'étais bien persuadé... Un mot encore...

[*Guillemette lui tourne le dos et s'en va. Le Drapier s'éloigne et s'arrête.*]

Sacredieu... Bon sang ! je vais aller vérifier.
Je sais bien que je dois avoir six aunes de cette étoffe, d'une seule pièce. Mais cette femme sème le chaos dans mon esprit.
Il les a eues vraiment !
Non point ! Diable, impossible de concilier tout cela. J'ai vu la mort qui vient le saisir, c'est sûr, ou bien il fait semblant.
Mais si ! il les a prises, c'est un fait, et les a mises sous son aisselle.
Par sainte Marie la vénérable, c'est non ! Je ne sais si je rêve, mais je n'ai pas l'habitude de donner mes étoffes ni en dormant ni en étant bien éveillé. Je n'en aurais fait crédit à personne, si obligé que je lui sois.
Bon sang de Dieu, il les a eues !
Morbieu, il ne les a pas eues ! J'en suis assuré !

Non a ? Mais a quoy donc en vien ge ?
Si a ! par le sanc Nostre Dame.
Meschoir puist il de corps et d'ame,
Se je soye, qui sauroit a dire
Qui a le meilleur ou le pire
D'eux ou de moy : je n'i voy goute.

PATHELIN

S'en est il alé ?

GUILLEMETTE

Paix, j'escoute
Ne sçay quoy qu'il va flageolant.
Il s'en va si fort grumelant
Qu'il semble qu'il doye desver.

PATHELIN

Il n'est pas temps de me lever ?
Comme est il arrivé a point !

GUILLEMETTE

Je ne sçay s'il reviendra point.
Nenni dea ! ne bougés encore.
Nostre fait seroit tout frelore
Se il vous trouvoit levé.

Il ne les a pas eues ? Mais où est-ce que je vais ? Il les a eues, bon sang de la Vierge ! Malheur, corps et âme, malheur à qui, moi compris, pourrait dire qui est le mieux loti, d'eux ou de moi : je n'y vois goutte.

[*Il se dirige vers son étal.*]

[*SCÈNE 2*]

[GUILLEMETTE, PATHELIN]

PATHELIN

Est-il parti ?

GUILLEMETTE

Silence, j'écoute je ne sais quoi qu'il dégoise. Il s'éloigne en grommelant si fort qu'il semble près de délirer.

PATHELIN

Ce n'est pas le moment de me lever ? Comme il est arrivé à propos !

GUILLEMETTE

Je ne sais s'il ne reviendra point… Non ! ne bougez pas encore. Notre affaire s'effondrerait, s'il vous trouvait debout.

PATHELIN

Saint George !
Qu'est il venu a bonne forge,
Luy qui est si tresmescreant !
Il est en luy trop mieulx seant
Que ung crucifix en ung moustier.

GUILLEMETTE

En ung tel or villain brustier
Oncqz lart es pois ne cheut si bien.
Avoy dea, il ne faisoit rien
Aux dimenches !

PATHELIN

Pour Dieu, sans rire !
Se venoit, il pourroit trop nuyre.
Je m'en tiens fort qu'il reviendra.

GUILLEMETTE

Par mon serment, il s'en tiendra
Qui vouldra, mais je ne pouroye.

LE DRAPPIER

Et, par le saint soleil qui raye,
Je retourneray, qui qu'en grousse,
Chiés cest advocat d'eau doulce.
Hé Dieu ! quel retraieur de rentes
Que ses parens ou ses parentes
Auroient venduz ! Or, par saint Pierre,
Il a mon drap, le faulx tromperre.
Je luy bailly en ceste place.

PATHELIN

Saint Georges ! il a trouvé à qui parler, lui qui est si filou ! Voilà qui lui va mieux qu'un crucifix dans une église.

GUILLEMETTE

Oui, à une canaille comme lui. Jamais lard ne tomba plus à point dans les pois. Ah, certes, il ne faisait jamais l'aumône le dimanche !

PATHELIN

Par Dieu, pas de rire ! S'il arrivait, ça pourrait nous attirer de gros ennuis. Je parie qu'il reviendra.

GUILLEMETTE

Ma foi, se retienne qui voudra, moi je ne le pourrais pas.

LE DRAPIER [*devant son étal*]

Hé, par ce beau soleil éclatant, je vais retourner, sans souci des protestations, chez cet avocat d'eau douce[1]. Hé, Dieu ! quel racheteur de rentes que ses parents ou ses parentes auraient vendues ! Mais, par saint Pierre, il a mon étoffe, le fourbe trompeur, je la lui ai remise ici même.

1. *Avocat d'eau douce* : expression de mépris dépréciatif forgée sur « marin d'eau douce ».

GUILLEMETTE

Quant me souvient de la grimace
Qu'il faisoit en vous regardant !
Je ry ! Il estoit si ardant
De demander...

PATHELIN

Or paix, riace !
Je regnie bieu (que ja ne face !)
S'il advenoit qu'on vous ouyst
Autant vauldroit qu'on s'en fouyst.
Il est si tresrebarbatif !

LE DRAPPIER

Et cest advocat potatif
A trois leçons et troys psëaulmes !
Et tient il les gens pour guillaumes ?
Il est, par Dieu, aussi pendable
Comme seroit ung blanc prenable.
Il a mon drap, ou je regnie bieu !
Et m'a il joué de ce jeu ?

Haula ! ou estes vous fouye ?

GUILLEMETTE

Quand je me souviens de la mine qu'il faisait en vous regardant, je ris ! Il était si impatient de demander…

PATHELIN

Allons, silence, étourdie ! Je renie Dieu — non, jamais ! — s'il arrivait qu'on vous entende, le mieux serait de prendre la fuite. Il est si teigneux !

LE DRAPIER [*revenant chez Pathelin*]

Et cet avocat picoleur, à trois leçons et à trois psaumes ! Hé, tient-il les gens pour simplets[1] ? Par Dieu, il est aussi bon à pendre qu'un petit sou à ramasser. Il a mon étoffe, ou je renie Dieu ! Hé, m'a-t-il joué ce tour ?

[*Devant chez Pathelin*]

Holà ! où vous êtes-vous cachée ?

1. Le texte original dit *potatif*, mot fabriqué par l'auteur de la farce. On l'a rapproché de pot à boire, d'où le sens d'ivrogne ; on y a vu aussi une déformation de l'adjectif juridique putatif, ce qui signifierait que Pathelin est un pseudo-avocat. Dernièrement, Jacques Pons l'a rattaché à pot (à pisser). — *À trois leçons et à trois psaumes* : dévalué. L'office des matines comprenait douze psaumes et trois leçons, mais entre Pâques et la Pentecôte il était ramené à trois psaumes et trois leçons ; ce qui pourrait être à l'origine de cette expression soulignant une chose dévaluée ou marquant l'ignorance de celui qui ne connaît que trois psaumes (alors qu'il y en a plus de cent cinquante).

GUILLEMETTE

Par mon serment, il m'a ouye !
Il semble qu'il doye desver.

PATHELIN

Je feray semblant de resver.
Alés la.

GUILLEMETTE

Comment vous criés !

LE DRAPPIER

Bon gré en ait Dieu, vous riés !
Sa, mon argent !

GUILLEMETTE

Saincte Marie !
De quoy cuidés vous que je rie ?
Il n'y a si dolente en la feste :
Il s'en va ! Oncques telle tempeste
N'ouÿstes, ne tel frenasie.
Il est encore en resverie.
Il reve, il chante, il fatroulle
Tant de langages, et barbouille !

GUILLEMETTE

Mon Dieu, il m'a entendue ! J'ai l'impression qu'il va entrer dans une rage folle.

PATHELIN

Je vais faire semblant de délirer. Allez à la porte.

[*SCÈNE 3*]

[GUILLEMETTE, LE DRAPIER, PATHELIN]

GUILLEMETTE [*allant accueillir le Drapier*]

Comme vous criez !

LE DRAPIER

Crédieu, vous riez ! Çà, mon argent !

GUILLEMETTE

Sainte Vierge ! de quoi vous imaginez-vous que je rie ? Il n'y a pas plus malheureuse que moi en l'occurrence : il se meurt ! Vous n'avez jamais entendu pareille tempête, pareille frénésie. Il n'est pas sorti de son délire. Il délire, il chante, il bafouille, il embrouille toutes sortes de langues !

Il ne vivra pas demie heure.
Par ceste ame, je ris et pleure
Emsemble.

LE DRAPPIER

Je ne sçay quel rire
Ne quel plourer. A brief vous dire,
Il fault que je soye payé.

GUILLEMETTE

De quoy ? Estes vous desvoyé ?
Recommencés vous vostre verve ?

LE DRAPPIER

Je n'é point aprins qu'on me serve
De tel motz en mon drap vendant.
Me voulés vous faire entendant
De vecies que ce sont lanternes ?

PATHELIN

Sus tost ! la royne des guiternes !
A coup ! qu'elle me soit aprouchée !
Je scay bien qu'elle est acouchée
De vingt quattre guiterneaux,
Enfans a l'abbé d'Iverneaux.
Il me fault estre son compere.

Il ne lui reste pas une demi-heure à vivre. Par mon âme, je ris et pleure tout ensemble.

LE DRAPIER

Je n'entends rien à ce rire ou à ces pleurs. Pour vous le dire au plus court : il faut que je sois payé.

GUILLEMETTE

De quoi ? Avez-vous perdu la tête ? Recommencez-vous vos folies ?

LE DRAPIER

Je n'ai pas l'habitude qu'on me tienne un tel langage quand je vends mon étoffe. Voulez-vous me faire prendre des vessies pour des lanternes ?

PATHELIN

Vite debout ! la reine des guitares[1] ! Promptement ! qu'on me l'amène ! Je sais bien qu'elle vient d'accoucher de vingt-quatre guitareaux, enfants de l'abbé d'Iverneaux[2]. Il me faut être son compère[3].

1. Faut-il chercher un sens sous ce délire ? On a avancé que *guiterne* était à prendre comme symbole d'une fille de joie dont les *guiterneaux* seraient les bâtards.

2. Il existe bien une abbaye d'Iverneaux, non loin de Brie-Comte-Robert. Mais elle est sans doute mentionnée moins pour elle-même que pour les plaisanteries que suscitait son nom. On aimait en effet associer l'idée de pauvreté, de manque d'argent, à l'hiver et à la froidure.

3. Le *compère* est le parrain par rapport à la marraine ou à la mère.

GUILLEMETTE

Helas, pensés a Dieu le pere,
Mon amy, non pas en guiternes !

LE DRAPPIER

Hé ! quel bailleur de balvernes
Sont ce cy ? Or tost ! que je soye
Payé, en or ou en monnoye,
De mon drap que vous avés prins.

GUILLEMETTE

Hé dea, se vous avés mesprins
Une fois, ne suffist il mye ?

LE DRAPPIER

Savez vous qu'il est, belle amye ?
M'aist Dieu, je ne sçay quel mesprendre !
Mais quoy ! il convient rendre ou pendre !
Quel tort vous fai ge se je vien
Ceans pour demander le mien ?
Que bon gré saint Pierre de Romme...

GUILLEMETTE

Helas, tant tormentés cest homme !
Je voy bien a vostre visage,
Certes, que vous n'estes pas saige.
Par ceste pecheresse lasse,
Se j'eusse aide, je vous liasse.
Vous estes trestout forcené.

GUILLEMETTE

Hélas, pensez à Dieu le père, mon ami, et non à des guitares !

LE DRAPIER

Hé, quels conteurs de balivernes que ces gens ! Allons, vite ! qu'on me paie, en or ou en autre monnaie, le prix de l'étoffe que vous avez emportée.

GUILLEMETTE

Et bien, si une fois vous vous êtes mal conduit, n'est-ce pas suffisant ?

LE DRAPIER

Savez-vous ce qu'il en est, chère amie ? J'en appelle à Dieu, je ne comprends rien à cette « mauvaise conduite » ! Mais quoi ! il faut ou rendre ou se faire pendre ! En quoi vous fais-je tort si je viens ici pour demander ce qui m'appartient ? Car, par saint Pierre de Rome…

GUILLEMETTE

Hélas, comme vous tourmentez cet homme ! Certes, je vois bien à votre visage que vous n'êtes pas dans votre bon sens. Par la malheureuse pécheresse que je suis, si j'avais de l'aide, je vous ligoterais. Vous êtes complètement fou.

LE DRAPPIER

Helas, j'enrage que je n'ay
Mon argent.

GUILLEMETTE

Ha, quelle niceté !
Saignés vous, Benedicite *!*
Faictes le signe de la croix.

LE DRAPPIER

Or regnie je bieu se j'acrois
De l'année, drap ! Quel malade !

PATHELIN

Mere de Diou, la coronade,
Par fye, y m'en voul anar,
Or renagne biou ! oultre mar !
Veintre de Diou ! z'en dit gigone !
Castuy ça ribble[1] *et res ne done.*
Ne carrillaine, fuy ta none !
Que de l'argent il ne[2] *me sone !*
Avés entendu, biau cousin ?

1. Levet : *carrible.*
2. *Ne* est ajouté.

LE DRAPIER

Hélas, j'enrage de ne pas avoir mon argent.

GUILLEMETTE

Ha, quelle sottise ! Signez-vous, *Benedicite*[1] ! Faites le signe de croix.

LE DRAPIER

Je renie Dieu si je donne jamais de l'étoffe à crédit ! Quel malade !

PATHELIN

Mere de Diou, la coronade,
Par fye, y m'en voul anar,
Or renagne biou ! oultre mar !
Veintre de Diou ! z'en dit gigone !
Castuy ça rible et res ne done.
Ne carrillaine, fuy ta none[2] !
Qu'il ne me parle pas de l'argent !
Vous avez compris, cher cousin[3] ?

1. *Benedicite* : voir la note 1, p. 99.

2. Texte en langue du Limousin. Il paraît parfois altéré par les copistes qui ne le comprenaient pas toujours. Voici une traduction possible : « Mère de Dieu, la couronnée, par ma foi, je veux m'en aller (je renie Dieu) outre-mer ! Ventre de Dieu, j'en dis gigone ! Celui qui est ici vole et ne donne rien. Ne carillonne pas, fais un somme ! »

3. Il n'est pas exclu que *cousin* soit employé à dessein : un proverbe cité par Cotgrave dans son dictionnaire français-anglais énonce : *Au prester cousin, au rendre fils de putain.*

GUILLEMETTE

Il eut ung oncle limosin
Qui fut frere de sa belle ante.
C'est ce qui le fait, je me vante,
Gergonner en limosinois

LE DRAPPIER

Dea, il s'en vint en tapinois
Atout mon drap soubz son esselle.

PATHELIN

Venés ens, doulce damiselle.
Et que veult ceste crapaudaille ?
Alés en ariere, merdaille !
Sa tost ! je vueil devenir prestre.
Or sa, que le deable y puist estre
En chelle vielle prestrerie !
Et fault il que le[1] *prestre rie*
Quant il deust chanter sa messe ?

GUILLEMETTE

Helas, helas, l'eure s'apresse
Qu'il fault son dernier sacrement.

LE DRAPPIER

Mais comment parle il propremen
Picart ? dont vient telle cocardie ?

1. Levet : *luy pr.*

GUILLEMETTE

Il avait un oncle du Limousin ; c'était le frère de sa tante. C'est, j'en suis sûre, ce qui le fait jargonner en limousinois.

LE DRAPIER

Pardi, il s'en est allé en tapinois avec mon étoffe sous son aisselle.

PATHELIN

Entrez, douce demoiselle. Et que désire cette crapaudaille ? Partez, arrière ! merdaille ! Çà, vite ! je veux devenir prêtre. Allons, le diable puisse avoir part à cette vieille prêterie[1] ! Hé, faut-il que le prêtre rie au lieu de chanter sa messe ?

GUILLEMETTE

Hélas, hélas, l'heure approche où il lui faut les derniers sacrements.

LE DRAPIER

Mais comment parle-t-il parfaitement picard ? d'où sort cette sottise ?

1. Le texte original porte *prestrerie*, qui pourrait se traduire par « état de prêtre ». Pathelin fait ici un jeu de mots sur le mot prêtre et le « prêt » de l'étoffe ; au surplus, le texte du manuscrit La Vallière et l'édition Le Roy portent *presterie* et il devait être difficile de prononcer cet *r* dans la suite de *r* où il s'inscrit. L'appel au diable fait sans doute allusion de façon ironique à un proverbe lié à la situation : *au prester ange, au rendre diable* (cité par Cotgrave), voir aussi la note 1, p. 103.

GUILLEMETTE

Sa mere fut de Picardie,
Pour ce le parle il maintenant.

PATHELIN

Donc viens tu, Caresme Prenant ?
Vuacarme, lief gode man.
Etlbelic boq iglughe golan.
Henrien, Henrien, conselapen.
Ych salgneb nede que maignen.
Grile, grile, scohehonden.
Zilop, zilop, en mon que bouden.
Disticlien unen desen versen.
Mat groet festal ou truit denhersen.
En vuacte viulle, comme trie !
Cha, a dringuer, je vous emprie !
Quoy act semigot yaue[1]*,*
Et qu'on m'y mette ung peu d'eaue,
Vuste vuille, pour le frimas !

1. Levet : *yane.*

GUILLEMETTE

Sa mère était de Picardie ; c'est pourquoi il le parle maintenant.

PATHELIN

D'où viens-tu, face de Mardi-Gras[1] ?
Vuacarme, lief gode man.
Etlbelic boq iglughe golan.
Henrien, Henrien, conselapen.
Ych salgneb nede que maignen.
Grile, grile, scohehonden.
Zilop, zilop, en mon que bouden.
Disticlien unen desen versen.
Mat groet festal ou truit denhersen.
En vuacte viulle, comme trie !
Cha, à dringuer, je vous en pric !
Quoi ! act semigot yaue,
Et qu'on m'y mette un peu d'eau,
Vuste vuille, pour le frimas[2] !

1. Voir note 1, page 67.

2. On a pensé que cette nouvelle divagation de Pathelin était en flamand et on en a proposé la traduction suivante : « Hélas, cher brave homme, je connais heureusement plus d'un livre. Henri, oh ! Henri, ah ! viens dormir. Je vais être bien armé. Alerte, alerte, trouvez des bâtons ! course, course, une nonne ligotée ! Des distiques garnissent ces vers, mais grand festoiement épanouit le cœur. Ah ! attendez un instant : il vient une tournée de rasades. Çà, à boire, je vous en prie ! Viens seulement, regarde seulement un don de Dieu, et qu'on m'y mette un peu d'eau ! Différez un instant à cause du frimas » (Chevaldin). D. Smith, lui, a reconnu ici des mots du jargon franco-anglais.

Faictes venir sire Thomas
Tantost, qui me confessera.

LE DRAPPIER

Qu'est cecy ? Il ne cessera
Huy de parler divers langaige ?
Au mains qu'il me baillast ung gage
Ou mon argent, je m'en allasse.

GUILLEMETTE

Par les angoisses Dieu, moy lasse !
Vous estes ung bien divers homme !
Que voulés vous ? Je ne sçay comme
Vous estes si fort obstiné.

PATHELIN

Or cha, Renouart au tiné !
Bé dea, que ma couille est pelouse !
Elle semble une cate pelouse,
Ou a une moque a mïel.
Bé, parlés a moy, Gabriel.
Les plées Dieu ! Qu'esse qui s'ataque
A men cul ? Esse une vaque,
Une mouque ou ung escasbot ?

Faites-venir messire Thomas bien vite pour qu'il me confesse[1].

LE DRAPIER

Qu'est-ce que c'est que ça ? Il ne cessera donc de parler aujourd'hui des langues étranges ? Si seulement il me donnait un gage ou mon argent, je m'en irais.

GUILLEMETTE

Par la Passion de Dieu, que je suis malheureuse ! Vous êtes un homme bien étrange ! Que voulez-vous ? Je ne comprends pas comment vous pouvez être à ce point obstiné.

PATHELIN

Or çà, Renouart à la massue[2] ! Bé, dia, que ma couille est poilue[3] ! On dirait une chenille ou une abeille. Bé, parlez-moi Gabriel. Par les plaies de Dieu, qu'est-ce qui s'attaque à mon cul ? Est-ce une vache, une mouche ou un bousier ?

1. *Messire* est à la fin du XVe siècle le titre que l'on donne aux prêtres. Dans les deux derniers vers de sa tirade, Pathelin feint de retrouver ses esprits et de se préparer à la mort en faisant appeler un prêtre.

2. *Renouart* est un personnage truculent de plusieurs chansons du cycle de Guillaume d'Orange. Il avait pour seule arme une massue cerclée de fer, un *tinel*.

3. Toute cette tirade comporte un certain nombre de traits caractéristiques du français tel qu'on le parlait en Normandie (voir le texte original).

Bé dea, j'é le mau saint Garbot[1] *!*
Suis je des foureux de Bayeux ?
Jehan du Quemin sera joyeux,
Mais qu'il saiche que je le sée.
Bée, par saint Miquiel, je berée
Volentiers a luy une fes.

LE DRAPPIER

Comment peust il porter les fes
De tant parler ? Ha, il s'afolle !

GUILLEMETTE

Celuy qui l'aprint a l'escolle
Estoit normant : ainsi advient
Qu'en la fin il luy en souvient.
Il s'en va.

LE DRAPPIER

Ha, Saincte Marie !
Vecy la plus grant resverie
Ou je fusse oncques mes bouté.
Jamais ne me fusse doubté
Qu'il n'eust huy esté a la foire.

GUILLEMETTE

Vous le cuidiés ?

LE DRAPPIER

Sainct Jaques, voire !
Mais j'aperçoys bien le contraire.

1. Levet : *Garbort*. Corrigé d'après Le Roy.

Bé dia, j'ai le mal de saint Garbot[1] ! Suis-je des foireux de Bayeux ? Jehan Tout-le-Monde sera heureux s'il apprend que j'en suis. Bé, par saint Michel, je boirai volontiers un coup à sa santé.

LE DRAPIER

Comment peut-il supporter l'effort de tant parler ? Ha, il devient fou !

GUILLEMETTE

Celui qui fut son maître d'école était normand : il se trouve qu'à sa fin il s'en souvient. Il s'en va.

LE DRAPIER

Ha, sainte Marie ! Voici le plus grand délire où je me sois jamais trouvé. Jamais je n'aurais mis en doute qu'il était à la foire aujourd'hui.

GUILLEMETTE

C'est ce que vous croyiez ?

LE DRAPIER

Saint Jacques, oui ! Mais je vois que c'est tout le contraire.

1. *Garbot* fut évêque de Bayeux ; les habitants de cette ville eurent des démêlés avec leur évêque ; Dieu les en punit par une terrible dysenterie. Le *mal de saint Garbot* est donc la diarrhée et ainsi s'éclaire la phrase qui suit où il y a un jeu sur *foireux* : Bayeux était le siège d'une foire importante.

PATHELIN

Sont il ung asne que j'orré braire?
Alast, alast, cousin, a moy!
Ilz le seront en grant esmoy
Le jour quant ne te verré.
Il convient que je te herré,
Car tu m'as fait grant trichery.
Ton fait, il sont tout trompery.
Ha oul dandaoul en ravezeie
Corfha en euf.

GUILLEMETTE

Dieu vous[1] *ayst!*

PATHELIN

Huis oz bez ou dronc nos badou
Digaut an tan en hol madon
Empedif dich guicebnuan
Quez quevient ob dre douch ama
Men ez cahet hoz bouzelou
Eny obet grande canou
Maz rehet crux dan hol con
So ol oz merveil gant nacon
Aluzen archet epysy;
Har cals amour ha coureisy.

1. Levet : *vout.*

PATHELIN

Sont-ils un âne que j'entendrai braire[1] ? Alas, alas, cousin, à moi ! Ils seront en grand émoi, le jour quand je ne te verrai pas. Il faut que je te haïrai, car tu m'as fait une grande fourberie. Ton fait, ils sont tout tromperie.
Ha oul dandaoul en ravezeie
Corfha en euf[2].

GUILLEMETTE

Dieu vous soit en aide !

PATHELIN

Huis oz bez ou dronc nos badou
Digaut an tan en hol madon
Empedif dich guicebnuan
Quez quevient ob dre douch ama
Men ez cahet hoz bouzelou
Eny obet grande canou
Maz rehet crux dan hol con
So ol oz merveil gant nacon
Aluzen archet epysy ;
Har cals amour ha coureisy[3].

1. Cette tirade commence en français tel que pouvaient le parler les Bretons, fortement accentué (d'où peut-être cet emploi du futur qui donne plus d'appui à l'accent), puis continue en langue bretonne. L'appellation *mon cousin* est une légère satire des Bretons qui sont tous cousins entre eux (« cousin à la mode de Bretagne »).

2. « Puisses-tu être aux diables corps et âme ! »

3. « Puissiez-vous avoir mauvaise nuit, des saisissements par

LE DRAPPIER

Helas, pour Dieu, entendés y.
Il s'en va ! Comment il guergouille[1] *!*
Mais que deable est ce qu'il barbouille ?
Saincte Dame, comment il barbote !
Par le corps Dieu, il barbelote
Ses motz tant qu'on n'y entent rien !
Il ne parle pas crestïen
Ne nul langaige qui apere.

GUILLEMETTE

Ce fut la mere de son pere
Qui fut attraicte de Bretaigne.
Il se meurt ! Cecy nous enseigne
Qu'i fault ses derniers sacremens.

PATHELIN

Hé, par saint Gigon, tu te mens,
Vualx te Deu, couille de Lorraine !

1. Levet : *guerguille.*

LE DRAPIER

Hélas, pour Dieu, occupez-vous de lui. Il s'en va ! Comme il jargonne ! Mais que diable bafouille-t-il ? Sainte Vierge, comme il bredouille ! Par le corps de Dieu, il marmonne ses mots si bien qu'on n'y comprend rien ! Il ne parle pas chrétien ni aucun langage connu.

GUILLEMETTE

C'est la mère de son père qui venait de Bretagne. Il se meurt ! Voilà qui nous indique qu'il lui faut les derniers sacrements.

PATHELIN

Hé, par saint Gigon, tu te mens[1],
Vualx te Deu, couille de Lorraine !

---

suite de l'incendie de vos biens ! Je vous souhaiterai à tous sans exception, tous tant que vous êtes ici, que vous rendiez une pierre de vos entrailles en faisant du bruit et des gémissements, au point que vous fassiez pitié à tous les chiens qui meurent complètement de faim. Tu auras l'aumône d'un cercueil, et beaucoup de tendresse et de civilité » (traduction de J. Loth).

1. Le début de la tirade paraît proche du lorrain. « Hé ! par saint Gangulphe, tu t'abuses ! Qu'il aille à Dieu, couille de Lorraine, Dieu te mette en vilaine semaine ! Tu ne vaux pas un vieux con. Va, maudite hideuse savate ! Va foutre, va, maudit paillard ! Tu joues trop au fortiche avec moi. Morbleu, çà, viens-t'en boire et passe-moi ce grain de poivre, car vraiment il le mangera. Eh ! par saint Georges, il boira à ta santé. Que veux-tu que je te dise ? Dis, viens-tu de Picardie ? Par saint Jacques, ils ne s'étonnent de rien ! » (Chevaldin). On peut se demander si le vers 955 ne s'appuie pas sur une réputation de sottise et de naïveté des Picards en

Dieu te mette en bote sepmaine !
Tu ne vaulx mie une vielz nat.
Va, sanglante bote sanat !
Va, foutre ! va, sanglant paillart !
Tu me refais trop le gaillart.
Par la mort bieu ! Sa, vien t'en boire,
Et baille moy stan grain de poire,
Car vraiement il le mengera
Et, par saint George, il bura
A ty : que veulx tu que je die ?
Dy, viens tu nient de Picardie,
Jaques ! nient se sont ebobis.
Et bona dies sit vobis
Magister amantissime,
Pater reverendissime.
Quomodo brulis ? Que nova ?
Parisius non sunt ova ?
Quid petit ille mercator ?
Dicat sibi quod trufator
Ille, qui in lecto jacet,
Vult ei dare, si placet,
De oca ad comedendum.

Dieu te mette en bote sepmaine !
Tu ne vaulx mie une vielz nat.
Va, sanglante bote sanat !
Va, foutre ! va, sanglant paillart !
Tu me refais trop le gaillart.
Par la mort bieu ! Sa, vien t'en boire,
Et baille moy stan grain de poire,
Car vraiement il le mengera
Et, par saint George, il bura
A ty : que veulx tu que je die ?
Dy, viens tu nient de Picardie,
Jaques ! nient se sont ebobis.
Et bona dies sit vobis[1]
Magister amantissime,
Pater reverendissime.
Quomodo brulis ? Que nova ?
Parisius non sunt ova ?
Quid petit ille mercator ?
Dicat sibi quod trufator
Ille, qui in lecto jacet,
Vult ei dare, si placet,
De oca ad comedendum.

---

demandant « ne viens-tu pas de Picardie ? », Pathelin dirait de façon voilée au Drapier qu'il est un sot et un naïf.

1. La suite de la tirade est en latin tel que les étudiants le parlaient au Moyen Âge. « Hé, bonjour à vous, maître bien-aimé, père très révéré. Comment t'emmêles-tu ? Quoi de neuf ? À Paris, il n'y a pas d'œufs [on pourrait aussi penser que le latin de Pathelin n'est pas parfait et qu'il veuille ici parler des brebis, *oves*]. Que demande ce marchand ? Qu'il se dise que le trompeur qui est couché dans le lit veut lui donner, s'il lui plaît, de l'oie à manger. Si elle est bonne à manger, demande-le-lui sans retard. »

Si sit bona ad edendum.
Pete sibi sine mora.

GUILLEMETTE

Par mon serment, il se mourra
Tout parlant. Comment il escume[1] *!*
Veés vous pas comment il estime[2]
Haultement la divinité ?
Elle s'en va, son humanité.
Or demourray je povre et lasse.

LE DRAPPIER

Il fust bon que je m'en allasse
Avant qu'il eust passé le pas.
Je doubte qu'il ne voulsist pas
Vous dire a son trespassement
Devant moy si privéement
Aucuns secrés, par avanture.
Pardonnés moy, car je vous jure
Que je cuidoye, par ceste ame,
Qu'il eust eu mon drap. Adieu, dame.
Pour Dieu, qu'il me soit pardonné !

GUILLEMETTE

Le benoist jour vous soit donné,
Si soit a la povre dolente !

1. Levet : *lascume*. Corrigé d'après Le Roy.
2. Levet : *escume*. Corrigé d'après Le Roy.

Si sit bona ad edendum.
Pete sibi sine mora.

GUILLEMETTE

Sur mon âme, il va mourir tout en parlant. Comme sa bouche écume ! Ne voyez-vous pas comme il révère hautement la divinité[1] ? Sa vie s'échappe. Et moi je vais rester pauvre et malheureuse.

LE DRAPIER

Il serait convenable que je me retire avant qu'il ait passé le pas. Je pense qu'il y a peut-être des secrets dont il ne souhaiterait pas vous faire confidence devant moi à son trépas. Pardonnez-moi, mais je vous jure que je croyais, sur mon âme, qu'il avait emporté mon étoffe. Adieu, madame. Pour Dieu, veuillez me pardonner !

GUILLEMETTE

Dieu bénisse votre journée et la mienne pareillement, pauvre éplorée que je suis !

1. Guillemette prétend que ce latin, auquel le Drapier n'a évidemment rien compris, est fait de propos de dévotion et s'adresse à Dieu ; après les dialectes qu'il a appris dans son enfance auprès de ses proches, vient le latin, qui est comme un prélude à la mort.

LE DRAPPIER

Par saincte Marie la gente !
Je me tiens plus esbaubely
Que oncques. Le deable, en lieu de ly,
A prins mon drap pour moy tenter.
Benedicite ! *Atenter*
Ne puist il ja a ma personne !
Et puis qu'ainsi va, je le donne,
Pour Dieu, a quiconques l'a prins.

PATHELIN

Avant ! Vous ay je bien aprins ?
Or s'en va il, le beau Guillaume !
Dieux, qu'il a dessoulz son heaume
De menues conclusïons !
Moult luy viendra d'avisïons
Par nuyt, quant il sera couché.

GUILLEMETTE[1]

Comment il a esté mouché !
N'ay je pas bien fait mon devoir ?

1. Dans Levet cette réplique appartient à Pathelin ; l'attribution à Guillemette est restituée d'après le manuscrit La Vallière et d'après Le Roy.

LE DRAPIER [*s'éloignant de chez Pathelin*]

Par sainte Marie la gracieuse, je suis plus abasourdi que jamais ! C'est le diable qui a pris l'étoffe à sa place pour me tenter. *Benedicite !* Puisse-t-il ne jamais rien entreprendre contre moi ! Et puisqu'il en est ainsi, je la donne à qui l'a prise, au nom de Dieu.

[*SCÈNE 4*]

[GUILLEMETTE, PATHELIN]

PATHELIN

Allons ! Vous ai-je donné une belle leçon ?
Il s'en va donc, le beau Guillaume !
Dieu, que de menues conclusions[1] bouillonnent sous son crâne ! Il va en avoir des visions cette nuit quand il sera couché !

GUILLEMETTE

Comme il s'est fait moucher ! N'ai-je pas bien joué mon rôle ?

1. *Conclusions* est ici un terme de procédure : ce sont les conclusions qu'au cours d'un procès, une des parties dépose auprès du juge et de la partie adverse, avant les plaidoiries.

PATHELIN

Par le corps bieu, a dire veoir,
Vous y avés tresbien ouvré.
Au moins avons nous recouvré
Assés drap pour faire des robbes.

LE DRAPPIER

Quoy dea ! chascun me paist de lobes,
Chascun m'en porte mon avoir
Et prent ce qu'il en peust avoir.
Or suis je le roy des meschans.
Mesmement[1] *les bergiers des champs*
Me cabusent. Ores le mien,
A qui j'ay tousjours fait du bien !
Il ne m'a pas pour bien gabbé.
Il en viendra au pié l'abbé,
Par la benoiste couronnée !

1. Levet : *mesment.*

PATHELIN

Corbleu, à vrai dire, vous vous en êtes très bien tirée. En tout cas nous avons récupéré assez d'étoffe pour faire des habits.

LE DRAPIER [*devant son étal*]

Quoi ! On ne me sert que des tromperies, chacun m'emporte mes biens et prend ce qu'il peut attraper. Je suis bien le roi des jobards. Même les bergers des champs me pigeonnent. Le mien maintenant, à qui j'ai toujours fait du bien ! il a eu tort de se moquer de moi. Il faudra bien qu'il plie les genoux[1], par la Vierge couronnée !

1. *Il en viendra au pié de l'abbé* dit le texte original, en une expression qui est sans doute figée en locution toute faite, dont le sens pourrait être qu'il faudra bien en rendre compte et être puni.

THIBAULT AIGNELET, bergier

Dieu vous doint benoiste journée
Et bon vespre, mon seigneur doulx.

LE DRAPPIER

Ha, es tu la, truant merdoulx !
Quel bon varlet ! mais a quoy faire ?

LE BERGIER

Mais qu'il ne vous vueille desplaire,
Ne sçay quel vestu de roié,
Mon bon seigneur, tout deroié,
Qui tenoit ung fouet sans corde,

[ACTION 3]

[*Sur l'aire de jeu sont disposés :*
sur un côté les tabourets qui sont « la maison de Pathelin »,
au milieu, un fauteuil pour le Juge et un ou deux tabourets.]

[*SCÈNE 1*]

[LE BERGER, LE DRAPIER]

THIBAUT AGNELET, *berger*

Dieu bénisse votre journée et votre soirée, mon bon monseigneur[1].

LE DRAPIER

Ha, tu es là, coquin merdeux ! Quel bon serviteur ! Mais pour faire quoi ?

LE BERGER

Je ne voudrais pas vous déplaire, mais, je ne sais quel personnage en habit rayé, mon bon monseigneur, hors de lui, tenant un fouet sans corde,

1. Au lieu de *sire*, plus courant et qui correspond à notre « monsieur », *monseigneur* marque nettement plus de révérence.

M'a dit... mais je ne me recorde
Point bien au vray que ce peult estre.
Il m'a parlé de vous, mon maistre...
Je ne sçay quelle adjournerie.
Quant a moy, par saincte Marie,
Je n'y entens ne gros ne gresle !
Il m'a broullé de pelle mesle
De brebis a de relevée,
Et m'a fait une grant levée
De vous, mon maistre, de boucler.

LE DRAPPIER

Se je ne te sçay emboucler
Tout maintenant devant le juge,
Je prie a Dieu que le deluge
Coure sur moy, et la tempeste !
Jamais tu n'asommeras beste,
Par ma foy, qu'il ne t'en souvienne !
Tu me rendras quoy qu'il advienne,
Six aulnes, — dis je, l'essemage
De mes bestes, et le doumage
Que tu m'as fait depuis dix ans.

LE BERGIER

Ne croiés pas les mesdisans
Mon bon seigneur, car, par cest'ame...

m'a dit… mais je ne me souviens pas bien à vrai dire ce que ça peut être[1]. Il m'a parlé de vous, mon maître… je ne sais quelle signation[2]. Quant à moi, par sainte Marie, je n'y entends que pouic ! Il m'a déballé, en vrac, « brebis », « à… de l'après-midi[3] », et il m'a fait un grand tintamarre de vous, mon maître, un gros raffut.

LE DRAPIER

Si je n'arrive pas à te traîner devant le juge, je prie Dieu que le déluge s'abatte sur moi, et l'ouragan ! Tu ne m'assommeras plus de bête, je te jure, sans t'en souvenir ! Tu me paieras, quoi qu'il arrive, six aunes — je veux dire, l'abattage de mes bêtes et le dommage que tu m'as fait depuis dix ans.

LE BERGER

Ne croyez pas les médisants, mon bon monsieur, car, parole !…

1. Cette description facétieuse (censée refléter l'ignorance d'un berger qui n'est jamais sorti de sa campagne) est celle d'un sergent, auxiliaire de justice chargé d'exécuter les décisions de justice et donc de convoquer les prévenus ; il était muni d'une baguette, dite *verge* (le *fouet sans corde*), symbole de son autorité qui le fait souvent désigner sous le nom de *sergent à verge*.

2. Le Berger dit *ajournerie* au lieu de *ajournement* (convocation devant le juge). *Signation* pour *assignation* tente de rendre ce parler de quelqu'un qui n'a pas bien compris le mot.

3. Le Berger feint de n'avoir rien compris au langage juridique et à la convocation que lui transmettait le sergent. Il en a retenu qu'il s'agissait de brebis et qu'il y était question de « à [une certaine heure] de l'après-midi ».

LE DRAPPIER

Et par la Dame que l'en clame,
Tu les rendras au samedi,
Mes six aulnes de drap, — je dy :
Ce que tu as prins sur mes bestes.

LE BERGIER

Quel drap ? Ha, monseigneur[1]*, vous estes*
Ce croy je, couroussé d'aultre chose.
Par saint Leu, mon maistre, je n'ose
Riens dire quant je vous regarde.

LE DRAPPIER

Laisse m'en paix ! Va t'en et garde
T'ajournée, se bon te semble.

LE BERGIER

Monseigneur, acordons ensemble,
Pour Dieu, que je ne plaide point.

1. Levet : *monseigueur.*

LE DRAPIER

Et par la Vierge très honorée, tu les paieras samedi[1], mes six aunes d'étoffe — je veux dire, ce que tu as pris sur mes bêtes.

LE BERGER

Quelle étoffe ? Ha, monseigneur, vous êtes, je crois, en colère pour autre chose. Par saint Loup[2], mon maître, je n'ose dire un mot quand je vous regarde.

LE DRAPIER

Laisse-moi en paix ! va-t'en et réponds à ton assignation, si bon te semble.

LE BERGER

Monseigneur, arrangeons-nous ensemble, au nom du Ciel, sans que j'aille plaider.

1. Le Drapier, tout à sa rage de n'avoir obtenu son paiement, songe donc à faire appel à la justice et sa menace confirme les craintes qu'avait exprimées Guillemette aux vers 486-487 : il espère bien que Pathelin sera condamné à payer et exposé au pilori, ce qui se fait le samedi.

2. L'invocation à saint Loup a été justifiée de diverses façons : on y a vu le patron des bergers, un saint qui protège de l'épilepsie (et ce serait une allusion ironique à la colère du Drapier). Au vu de l'association « par saint Loup, mon maître », il y a un jeu du texte qui fait du Berger qui assomme les moutons un disciple du loup.

LE DRAPPIER

Va, ta besongne est en bon point.
Va t'en ! Je n'en accorderay,
Par Dieu, ne m'en appointeray
Qu'ainsi que le juge fera.
Avoy ! chascun me trompera
Mesouen, se je n'y pourvoye.

LE BERGIER

A Dieu, sire, qui vous doint joye !

Il fault donc que je me defende.

A il ame la ?

PATHELIN

On me pende,
S'il ne revient, par my la gorge !

GUILLEMETTE

Et, non fait, que bon gré saint George !
Ce seroit bien au pis venir !

LE DRAPIER

Va, ton affaire est parfaitement claire. Va-t'en ! Pas d'accord, je le jure, ni d'accommodement autre que ce qu'en décidera le juge. Eh quoi ? chacun pourra me tromper désormais, si je n'y mets le holà.

LE BERGER

Adieu, monsieur, et bien de la joie chez vous !

[*Seul*]

Il faut donc que je me défende.

[*SCÈNE 2*]

[LE BERGER, PATHELIN, GUILLEMETTE]

LE BERGER [*au seuil de « la maison de Pathelin »*]

Y a-t-il quelqu'un ?

PATHELIN

Une corde autour de ma gorge, si ce n'est lui qui revient !

GUILLEMETTE

Hé, non, non, par saint Georges ! ce serait la catastrophe !

LE BERGIER

Dieu y soit[1] *! Dieu puyst avenir !*

PATHELIN

Dieu te gart, compains. Que te fault ?

LE BERGIER

On me piquera en default
Se je ne vois a m'ajournée,
Monseigneur, a de relevée,
Et s'i vous plaist, vous y viendrés,
Mon doulx maistre, et me defendrés
Ma cause, car je n'y sçay rien,
Et je vous paieray tresbien,
Pourtant se je suis mal vestu.

PATHELIN

Or vien sa et parles. Qu'es tu ?
Ou demandeur ou defendeur ?

LE BERGIER

J'é a faire a ung entendeur,
Entendés vous bien, mon doulx maistre,
A qui j'é long temps mené paistre,
Ses brebis, et les gardoye.
Par mon serment, je regardoye
Qu'il me paioit petitement.
Diray je tout ?

1. Levet et Le Roy : *Dieu yst.*

LE BERGER [*entrant*]

Dieu protège cette maison et la bénisse !

PATHELIN

Dieu te garde, l'ami. Que te faut-il ?

LE BERGER

On me prendra en défaut si je ne me présente à mon assignation, monseigneur, à « de l'après-midi », et, s'il vous plaît, vous y viendrez, mon bon maître, et vous défendrez ma cause, car je n'y entends rien, et je vous paierai très bien, quoique je sois mal habillé.

PATHELIN

Allons, viens ici et parle. Qu'es-tu ? le plaignant ou l'accusé ?

LE BERGER

J'ai affaire à un malin — comprenez-vous bien ? — mon bon maître ; j'ai longtemps mené paître ses brebis pour lui et je les gardais. Mon Dieu, je voyais qu'il me payait petitement. Est-ce que je peux tout dire ?

PATHELIN

Dea seurement.
A son conseil doit on tout dire.

LE BERGIER

Il est vray et vérité, sire,
Que je les y ay assommées,
Tant que plusieurs se sont pasmées
Maintesfois, et sont cheues mortes,
Tant fussent elles saines et fortes.
Et puis je luy faisoye entendre,
Affin qu'il ne m'en peust reprendre,
Qu'ilz mouroient de la clavelée.
« Ha, fait il, ne soit plus meslée
Avecques les aultres, jette la. »
« Volentiers », fais je, mais cela
Se faisoit par une aultre voie,
Car, par saint Jehan, je les mengeoye,
Qui savoie bien la maladie.
Que voulés vous que je vous die ?
J'ay cecy tant continué,
J'en ay assommé et tué
Tant, qu'il s'en est bien apperceu.
Et quant il s'est trouvé deceu,
M'aist Dieux ! il m'a fait espier,
Car on les oyt bien hault crier,
Entendés vous, quant on le fait.
Or ay je esté prins sur le faict,
Je ne le puis jamais nyer ;
Si vous vouldroie bien prier

PATHELIN

Oui, bien sûr. On doit tout dire à son conseiller.

LE BERGER

Il est vrai et vérité, monsieur, que je les lui ai assommées tant et si bien que plusieurs se sont évanouies plus d'une fois et sont tombées raides mortes, même si elles étaient en parfaite santé. Et ensuite je lui faisais croire, pour qu'il ne puisse m'en faire reproche, qu'elles mouraient de la clavelée[1]. « Ha, qu'il fait, sépare-la d'avec les autres, jette-la. » — « Volontiers » que je dis ! mais ça se passait d'une autre façon, car, par saint Jean, je les mangeais, moi qui savais bien leur maladie. Que voulez-vous que je vous dise ? J'ai si bien continué ce manège, je lui en ai assommé et tué tant qu'il s'en est bien aperçu. Et quand il a compris qu'il était trompé, mon Dieu ! il m'a fait épier, car on les entend crier bien fort, comprenez-vous, quand on le fait. J'ai donc été pris sur le fait, je ne peux pas le nier ; aussi je voudrais vous prier

1. La *clavelée* est une maladie contagieuse, due à un virus ; elle est propre aux moutons.

— Pour du mien, j'ay assés finance —
Que nous deux luy baillons l'avance.
Je sçay bien qu'il a bonne cause
Mais vous trouverés bien clause
Se voulés, qu'i l'aura maulvaise.

PATHELIN

Par ta foy, seras tu bien aise
— Que donras tu ? — se je renverse
Le droit de ta partie adverse,
Et se l'en t'en envoye assoubz ?

LE BERGIER

Je ne vous paieray point en solz,
Mais en bel or a la couronne.

PATHELIN

Donc auras tu ta cause bonne,
Et fust elle la moitié pire.
Tant mieulx vault et plus tost l'empire
Quant je vueil mon sens appliquer.
Que tu me orras bien descliquer.
Quant il aura fait sa demande !
Or vien sa, et, je te demande,
— Par le saint sanc bieu precïeux,
Tu es assés malicïeulx
Pour entendre bien la cautelle —
Comment esse que l'en t'apelle ?

LE BERGIER

Par sainct Mor, Tibault l'Aignelet.

— de mon côté je ne manque pas d'argent — que tous deux nous le prenions de court. Je sais bien que sa cause est bonne, mais vous trouverez bien une disposition qui permettra, si vous le voulez, de retourner la situation.

PATHELIN

Franchement, seras-tu bien aise — que donneras-tu ? — si je renverse le bon droit de ta partie adverse, et si l'on te renvoie absous ?

LE BERGER

Je ne vous paierai pas en sous, mais en bel or à la couronne[1].

PATHELIN

Alors ta cause sera bonne, fût-elle deux fois pire qu'elle n'est. Plus l'accusation est grave et plus vite je la ruine quand je veux montrer de quoi je suis capable. Comme tu vas m'entendre faire un beau cliquetis de paroles quand il aura exposé sa plainte ! Allons viens çà, j'ai une question : — par le précieux Sang, tu es assez malicieux pour comprendre la ruse — comment est-ce que l'on t'appelle ?

LE BERGER

Par saint Maur, Thibaut l'Agnelet.

1. Le Berger reprend ici le thème dont avait usé Pathelin à l'égard du Drapier : il promet de le payer non pas en petite monnaie dépréciée mais en bel écu d'or à la couronne, qui est une valeur sûre.

PATHELIN

L'Aignelet ! Maint aigneau de let
Luy as cabassé a ton maistre ?

LE BERGIER

Par mon serment, il peult bien estre
Que j'en ay mengié plus de trente
En trois ans.

PATHELIN

Ce sont dix de rente
Pour tes dez et pour ta chandelle.
Je croy que luy bailleray belle.
Penses tu qu'il puisse trouver
Sur piés ses fais par qui prouver ?
C'est le chief de la plaiderie.

LE BERGIER

Prouver, sire ? Sainte Marie !
Par tous les sainctz de paradis,
Pour ung il en trouvera dix
Qui contre moy deposeront !

PATHELIN

C'est ung cas qui fort desront
Ton fait. Vecy ce que je pensoye :
Je ne faindré point que je soye
Des tiens, ne que je te veisse oncques.

LE BERGIER

Ne ferés ? Dieux !

PATHELIN

L'Agnelet ! Tu as chipé bien des agneaux de lait à ton maître ?

LE BERGER

Pour sûr, il se peut bien que j'en aie mangé plus de trente en trois ans.

PATHELIN

Ça fait une rente de dix par an pour payer tes dés et ta chandelle[1]. Je crois que je lui damerai le pion. Penses-tu qu'il puisse trouver facilement des témoins par qui prouver les faits ? C'est le point capital du procès.

LE BERGER

Prouver, monsieur ? Sainte Marie ! par tous les saints du Paradis, il n'en trouvera pas un mais dix tout prêts à déposer contre moi !

PATHELIN

C'est un point qui nuit considérablement à ta cause. Voici à quoi je pensais : je ne montrerai pas que je suis de ton côté ou que je t'ai déjà vu.

LE BERGER

Non ? Mon Dieu !

1. À la taverne, il fallait payer pour pouvoir emprunter les dés et il fallait aussi payer la chandelle qui éclairait le jeu.

PATHELIN

Non, rien quelzconques.
Mais vecy qu'il esconviendra :
Ce tu parles, on te prendra
Coup a coup aux positïons,
Et en tés cas confessïons
Sont si tresprejudiciables
Et nuysent tant, que ce sont deables.
Pour ce vecy qui fera :
Ja tost quant on t'apellera
Pour comparoir en jugement,
Tu ne respondras nullement
Fors « bée ! », pour rien que l'en te die.
Et s'il avient qu'on te mauldie
En disant : « Hé, cornard puant !
Dieu vous met'an mal an ! Truant,
Vous mocqués vous de la justice ? »
Dy : « Bée ». « Ha, feray je, il est nice,
Il cuide parler a ses bestes. »
Mais, s'il devoient rompre leurs testes,
Que aultre mot n'ysse de ta bouche !
Garde t'en bien !

LE BERGIER

Le fait me touche.
Je m'en garderay vraiement
Et le feray bien proprement,
Je le vous promet et afferme.

PATHELIN

Non, absolument pas. Mais voici ce qu'il faudra faire. Si tu parles, on te coincera à chaque coup sur les divers points, et dans de telles accusations, des aveux sont très préjudiciables et nuisent en diable ! Pour cette raison, voici comment s'en sortir : aussitôt qu'on t'appellera pour comparaître en jugement, tu ne répondras absolument rien d'autre que « bée ! », quoi que l'on te dise. Et s'il arrive qu'on t'insulte en te disant : « Hé, puant connard, que Dieu vous accable de malheur ! Canaille, vous moquez-vous de la justice ? », dis : « Bée ! » « Ha, ferai-je, il est simple d'esprit, il s'imagine parler à ses bêtes. » Mais, même s'ils devaient s'y casser la tête, ne laisse pas d'autre mot sortir de ta bouche ! garde-t'en bien !

LE BERGER

Je suis le premier intéressé. Je m'en garderai soigneusement et je m'y conformerai très exactement, je vous le promets et je vous le jure.

PATHELIN

Or t'y garde ! tiens te bien ferme.
A moy mesme, pour quelque chose
Que je te die ne propose
Si ne respondz aultrement.

LE BERGIER

Moy ? nennin, par mon sacrement.
Dictes hardiement que j'afolle
Se je dy huy aultre parolle,
A vous n'a quelque aultre personne,
Pour quelque mot que l'en me sonne[1],
Fors « bée » que vous m'avés aprins.

PATHELIN

Par saint Jehan, ainsi sera prins
Ton adversaire par la moe.
Mais aussi fais que je me loe,
Quant ce sera fait, de ta paye.

LE BERGIER

Monseigneur, se je ne vous paye
A vostre mot, ne me croiés
Jamais. Mais, je vous pry, voiés
Diligemment a ma besongne.

1. Levet : *messonne.*

PATHELIN

Alors fais bien attention ! Ne fléchis pas. Et même à moi, quoi que je puisse te dire ou te proposer, ne réponds pas autrement.

LE BERGER

Moi ? Non, non, sur mon âme. Dites franchement que je deviens fou si, à vous ou à quelqu'un d'autre, de quelque nom qu'on me traite, je dis aujourd'hui autre chose que le « bée » que vous m'avez appris.

PATHELIN

Par saint Jean, de la sorte on prendra ton adversaire par la grimace. Mais fais aussi que j'aie à me louer de ce que tu me donneras quand ce sera fini.

LE BERGER

Monseigneur, si je ne vous paie mot à mot ce que vous demandez, je ne mérite plus aucun crédit[1]. Mais, je vous prie, veillez attentivement à mon affaire.

1. Il y a dans la réplique du Berger une série de jeux sur les mots qu'il est difficile de rendre exactement en français moderne. Le Berger parle de payer *a vostre mot*, où pour Pathelin *mot* a le sens de prix fixé par le vendeur ou l'acheteur (voir vers 236), mais le Berger entend en fait par *mot* le « bée » qui vient de lui être enseigné. De même le verbe *croire* a le double sens de « croire » et de « faire crédit ».

PATHELIN

Par nostre Dame de Boulongne,
Je tien que le juge est asis,
Car il se siet toujours a six
Heures ou illec environ.
Or vien après moy, nous n'yron
Nous deux ensemble pas en voie.

LE BERGIER

C'est bien dit, affin qu'on ne voye
Que vous soiés mon advocat.

PATHELIN

Nostre Dame, moquin moquat,
Se tu ne payes largement[1] *!*

LE BERGIER

Dieux ! a vostre mot, vraiement,
Monseigneur, et n'en faictes doubte.

PATHELIN

Hé dea, s'il ne pleust, il degoute.
Au moins auray je une epinoche.

1. Levet : *largent* ; corrigé d'après le manuscrit La Vallière.

PATHELIN

Par Notre Dame de Boulogne, je suis sûr que le juge est en train de siéger, car il commence toujours sa séance à six heures ou à peu près. Allons, mets-toi en route après moi, nous ne ferons pas le chemin ensemble tous deux.

LE BERGER

Voilà qui est bien trouvé : comme ça on ne verra pas que vous êtes mon avocat.

PATHELIN

Notre Dame ! À malin malin et demi, si tu ne payes largement !

LE BERGER

Par Dieu, exactement et mot à mot ce que vous demandez, monseigneur, n'ayez crainte.

[*Le Berger s'éloigne.*]

PATHELIN [*seul*]

Hé, mon Dieu, même s'il ne pleut à verse, il tombe quelques gouttes[1]. Au moins obtiendrai-je un petit quelque chose[2].

1. Par cette locution, Pathelin montre qu'il n'est pas complètement dupe des promesses du Berger, mais il s'imagine tout de même que s'il ne doit pas attendre de lui une forte somme, il en obtiendra au moins quelques sous.

2. *Un petit quelque chose* tente de traduire l'*epinoche* du texte original — on utilise encore aujourd'hui le terme *épinoche*

J'auray de luy, s'il chet en coche,
Ung escu ou deux pour ma paine.

Sire, Dieu vous doint bonne estraine
Et ce que vostre cueur desire.

LE JUGE

Vous soiés le bien venu, sire.
Or vous couvrés. Ça, prenés place.

Je tirerai bien de lui, si tout marche bien[1], un écu ou deux pour ma peine.

[*SCÈNE 3*]

[LE BERGER, PATHELIN, LE DRAPIER, LE JUGE]

PATHELIN [*arrivant devant le Juge*]

Monsieur, que Dieu vous accorde bonne chance et tout ce que votre cœur désire[2].

LE JUGE

Soyez le bienvenu, monsieur. Couvrez-vous donc[3].

[*L'invitant à s'asseoir à ses côtés*]

Çà, prenez place.

---

pour désigner un petit poisson de mer ou de rivière peu comestible. Mais au XVIe siècle, la valeur imagée de « bagatelles » l'emporte sur le sens propre.

1. *S'il chet en coche* : l'image est celle du trait d'arbalète qui se met bien dans l'encoche.

2. Le texte original porte *estraine*, mot à double sens utilisé fréquemment dans l'association *bonne étrenne* avec le seul trait d'un souhait de politesse de bon augure ; *en bonne étrenne* est courant pour dire « heureusement ». Mais pour un juge, l'étrenne peut aussi représenter les cadeaux, les « épices », que lui apportent les plaideurs.

3. Pour saluer le Juge, Pathelin avait ôté son chaperon de sa tête.

PATHELIN

Dea, je suis bien, sauf vostre grace.
Je suis yci plus a delivre.

LE JUGE

S'il y a riens, qu'on se delivre
Tantost, affin que je me lieve.

LE DRAPPIER

Mon advocat vient, qui acheve
Ung peu de chose qu'il faisoit,
Monseigneur, et, s'i vous plaisoit,
Vous feriés bien de l'atendre.

LE JUGE

Hé dea, j'é ailleurs a entendre.
Se vostre partie est presente
Delivrés vous, sans plus d'atente.

Et n'estes vous pas demandeur ?

LE DRAPPIER

Si suis.

LE JUGE

Ou est le defendeur ?
Est il cy present en personne ?

LE DRAPPIER

Ouy, véez le la qui ne sonne
Mot, mais Dieu scet qu'il en pense.

PATHELIN [*restant debout à l'écart*]

Mon Dieu, je suis bien comme ça, avec votre permission, je suis plus à l'aise ici.

LE JUGE

S'il y a quelque affaire, qu'on en finisse vite, afin que je m'en aille.

LE DRAPIER

Mon avocat va arriver, il achève une petite chose qu'il faisait et, s'il vous plaisait, monseigneur, vous feriez bien de l'attendre.

LE JUGE

Hé diable, j'ai à faire ailleurs. Si la partie adverse est présente, expliquez-vous sans plus attendre.

[*Le Drapier hésite à commencer.*]

Alors n'êtes-vous pas le plaignant ?

LE DRAPIER

Si, c'est bien ça.

LE JUGE

Où est l'accusé ? Est-il présent ici en personne ?

LE DRAPIER

Oui, vous le voyez là-bas qui ne dit mot, mais Dieu sait ce qu'il en pense.

LE JUGE

Puis que vous estes en presence,
Vous deux, faictes vostre demande.

LE DRAPPIER

Vecy doncques que luy demande :
Monseigneur, il est verité
Que pour Dieu et en charité
Je l'ay nourry en son enfance
Et quant je viz qu'il eust puissance
D'aler aux champs, pour abregier,
Je le fis estre mon bergier
Et le mis a garder mes bestes.
Mais aussi vray comme vous estes
La assis, monseigneur[1] *le juge,*
Il en a fait ung tel deluge
De brebis et de mes moutons
Que sans faulte...

LE JUGE

Or escoutons !
Estoit il point vostre aloué ?

PATHELIN

Voire, car s'il c'estoit joué
A le tenir sans alouer...

LE DRAPPIER

Je puisse Dieu desavouer
Se ce n'estes vous, vous sans faulte !

1. Levet : *monsigneur.*

LE JUGE

Puisque vous êtes tous les deux présents, formulez votre plainte.

LE DRAPIER

Voici donc ce dont je me plains. Monseigneur, c'est pure vérité que, pour l'amour de Dieu et par charité, je l'ai élevé quand il était enfant et quand j'ai vu qu'il était en âge d'aller aux champs, pour faire bref, j'ai fait de lui mon berger et l'ai mis à garder mes bêtes. Mais aussi vrai que vous êtes assis là, monseigneur le juge, il a fait un tel cataclysme[1] de brebis et de mes moutons que sans faute…

LE JUGE [*l'interrompant*]

Bon, écoutez, n'était-il pas votre salarié ?

PATHELIN

Oui, car s'il s'était amusé à l'employer sans salaire…

LE DRAPIER [*reconnaissant Pathelin*]

Je suis prêt à renier Dieu si ce n'est pas vous, vraiment vous !

1. Le texte original dit : *deluge* ; le mot n'est pas précis, il est employé improprement dans la langue populaire de l'époque pour désigner un cataclysme, quelque chose qui cause des dommages énormes

LE JUGE

Comment vous tenés la main haulte !
Av'ous mal au dens, maistre Pierre ?

PATHELIN

Ouy, elles me font telle guerre
Qu'oncques mais ne senty tel rage.
Je n'ose lever le visage.
Pour Dieu, faictes les proceder.

LE JUGE

Avant ! achevés de plaider.
Sus, concluês appertement.

LE DRAPPIER

C'est il sans aultre, vraiement !
Par la croix ou Dieu s'estendi !
C'est a vous a qui je vendi
Six aulnes de drap, maistre Pierre !

LE JUGE

Qu'esse qu'il dit de drap ?

PATHELIN

Il erre.

Il cuide a son propos venir,
Et il n'y scet plus advenir,
Pour ce qu'il ne l'a pas aprins.

LE JUGE [*voyant Pathelin qui met sa main devant son visage*]

Que vous tenez haut votre main ! Avez-vous mal aux dents, maître Pierre ?

PATHELIN

Oui, elles me tarabustent au point que jamais je n'ai senti une telle rage. Je n'ose lever la tête. Par Dieu, faites-les continuer.

LE JUGE

Allons, terminez votre plainte. Vite, concluez clairement.

LE DRAPIER

C'est lui et personne d'autre, vraiment ! Par la croix où Dieu fut étendu, c'est à vous que j'ai vendu six aunes d'étoffe, maître Pierre !

LE JUGE

Qu'est-ce que l'étoffe vient faire ici ?

PATHELIN

Il divague. Il s'imagine en venir au fait, mais il ne sait plus s'en sortir parce que ce n'est pas son métier.

LE DRAPPIER

Pendu soie se aultre l'a prins,
Mon drap, par la sanglante gorge !

PATHELIN

Comment le meschant homme forge
De loing pour fournir son libelle !
Il veult dire, — est il bien rebelle ! —
Que son bergier avoit vendu
La laine, — je l'ay entendu —
Dont fut fait le drap de ma robbe,
Comme s'il dist qu'il le desrobe
Et qu'il luy a emblé les laines
De ses brebis.

LE DRAPPIER

Male sepmaine
M'envoye Dieu se vous ne l'avés !

LE JUGE

Paix, de par le deable, vous bavés[1] *!*
Et ne sçavés vous revenir
A vostre propos sans tenir
La court de telle baverie ?

PATHELIN

Je sens mal et fault que je rie !
Il est desja si empressé

1. Levet : *laves* ; corrigé d'après le manuscrit La Vallière.

LE DRAPIER

Je veux être pendu si c'est un autre qui l'a emportée, mon étoffe, bon sang de bon sang !

PATHELIN

Comme le pauvre homme va chercher loin pour étoffer sa plainte ! Il veut dire — quel balourd ! — que son berger avait vendu la laine — c'est ce que j'ai compris — dont a été faite l'étoffe de mon habit, comme s'il voulait dire qu'il le vole et qu'il lui a dérobé la laine de ses brebis.

LE DRAPIER

Que Dieu me plonge dans tous les maux, si vous ne l'avez pas !

LE JUGE

Silence, de par le diable, vous dites n'importe quoi ! Hé, ne pouvez-vous revenir au fait sans retarder la cour avec de telles sornettes ?

PATHELIN

J'ai mal et il faut que je rie ! Il est déjà si embrouillé

Qu'il ne scet ou il a laissé.
Il fault que nous luy reboutons.

LE JUGE

Sus, revenons a ces moutons.
Qu'en fut il ?

LE DRAPPIER

Il en print six aulnes,
De neuf frans.

LE JUGE

Sommes nous becjaunes
Ou cornards ? Ou cuidés vous estre ?

PATHELIN

Par le sang bieu, il vous fait paistre !
Qu'est il bon homme par sa mine !
Mais je los qu'on examine
Ung bien peu sa partie adverse.

LE JUGE

Vous dictes bien. Il le converse,
Il ne peult qu'il ne le congnoisse.
Vien ça, dy.

qu'il ne sait plus où il en était. Il faut que nous l'y ramenions.

LE JUGE

Allons, revenons à ces moutons[1] ! Que leur est-il arrivé ?

LE DRAPIER

Il en emporta six aunes, pour neuf francs.

LE JUGE

Sommes-nous des imbéciles ou des idiots ? Où croyez-vous être ?

PATHELIN

Bon sang, il vous fait battre la campagne ! Qu'il a l'air rustaud[2] ! Mais je conseille qu'on examine un peu sa partie adverse.

LE JUGE

Vous avez raison. Il le fréquente, il ne peut pas ne pas le connaître. Approche donc, parle.

1. *Revenons à ces moutons* : cette réplique est devenue formule fréquemment attestée à la fin du XVe et au XVIe siècle, sous la forme « Revenons à nos moutons », pour signifier « Revenons à notre propos ». Il n'est pas impossible que cette expression ait préexisté à *La Farce de Maître Pathelin*. On a même trouvé chez un auteur latin, Martial, une expression assez proche qui s'adresse à l'avocat Posthumus, et l'invite à revenir aux trois chèvres qui sont le sujet du procès : « Allons, Posthumus, parle donc des trois chèvres. »

2. *Rustaud* traduit *bonhomme*, terme qui, dans la langue de l'époque, désignait fréquemment le paysan.

LE BERGIER

Bée !

LE JUGE

Vecy angoisse !
Quel « bée » esse cy ? Suys je chievre ?
Parle a moy !

LE BERGIER

Bée !

LE JUGE

Sanglante fievre
Te doint Dieu ! Et te moques tu ?

PATHELIN

Croiés qu'il est fol ou testu,
Ou qu'il cuide estre entre ses bestes.

LE DRAPPIER

Or regnie je bieu se vous n'estes
Celuy sans aultre qui l'avés
Eu, mon drap ! Ha, vous ne sçavés
Monseigneur[1]*, par quelle malice...*

1. Levet : *monseigueur.*

LE BERGER

Bée !

LE JUGE

C'est trop fort ! Qu'est-ce que ce « bée » ? Suis-je une chèvre ? Réponds !

LE BERGER

Bée !

LE JUGE

Que Dieu t'inflige une sanglante fièvre ! Hé, te moques-tu ?

PATHELIN

Croyez qu'il est fou ou stupide, ou qu'il s'imagine être avec ses bêtes.

LE DRAPIER

[*À Pathelin*]

Je renie Dieu si ce n'est vous, et personne d'autre, qui l'avez emportée, mon étoffe !

[*Au Juge*]

Ha, vous ne savez, monseigneur, avec quelle fourberie…

LE JUGE

Et taisés vous ! Estes vous nice ?
Laissés en paix ceste assessoire
Et venons au principal.

LE DRAPPIER

Voire,
Monseigneur, mais le cas me touche
Toutesfois... Par ma foy, ma bouche
Meshuy ung seul mot n'en dira.
Une aultre fois il en ira
Ainsi qu'il en pourra aller.
Il le me convient avaller
Sans mascher. Or ça[1] *je disoie*
A mon propos, comment j'avoie
Baillé six aulnes... doy je dire,
Mes brebis... Je vous en prie, sire,
Pardonnés moy. Ce gentil maistre...
Mon bergier, quant il devoit estre
Aux champs... Il me dist que j'auroye
Six escus d'or quant je vendroie...
Dis je, depuis trois ans en ça,
Mon bergier m'encouvenança
Que loiaument me garderoit
Mes brebis et ne m'y feroit
Ne dommage ne villennie...
Et puis maintenant il me nye
Et drap et argent plainement.
Ha, maistre Pierre, vraiement...
Ce ribault cy m'enbloit les laines

1. *Ça* est ajouté d'après le manuscrit La Vallière.

LE JUGE

Hé, taisez-vous ! Êtes-vous idiot ? Ne parlez plus de ce détail et venons-en à l'essentiel.

LE DRAPIER

Oui, monseigneur, mais cette affaire me concerne pourtant... Par ma foi, ma bouche n'en dira plus un seul mot. Une autre fois il en ira comme il pourra. Pour l'instant je ne peux qu'avaler sans mâcher. Je disais donc, pour rester dans mon sujet, que j'avais donné six aunes... je veux dire, mes brebis... Je vous en prie, monsieur, excusez-moi. Ce gentil maître... mon berger, quand il lui fallait aller aux champs... Il me dit que j'aurais six écus d'or quand je viendrais... je veux dire, il y a de ça trois ans, mon berger s'engagea à me garder loyalement mes brebis et à ne m'y faire ni dommage ni mauvais tour... Et puis maintenant, il me nie tout, et l'étoffe et l'argent. Ha, maître Pierre, vraiment... Ce coquin-là me volait la laine

De mes bestes, et toutes saines
Les faisoit mourir et perir
Par les assommer et ferir
De gros bastons sur la cervelle...
Quant mon drap fut soubz son esselle
Il se mist au chemin grant erre,
Et me dist que je allasse querre
Six escus d'or en sa maison.

LE JUGE

Il n'y a ne rime ne raison
En tout quantque vous rafardés.
Qu'esse cy ? Vous entrelardés
Puis d'ung, puis d'aultre. Somme toute,
Par le sang bieu, je n'y vois goute.
Il brouille de drap, et babille
Puis de brebis, au coup la quille !
Chose qu'il die ne s'entretient.

PATHELIN

Or je m'en fais fort qu'il retient
Au povre bergier son salaire !

LE DRAPPIER

Par Dieu, vous en peussiés bien taire !
Mon drap, aussi vray que la messe...
— Je sçay mieulx ou le bat[1] m'en blesse
Que vous ne ung aultre ne sçavés —
Par la teste Dieu, vous l'avés !

1. Levet : *bas.*

de mes bêtes, et bien qu'elles fussent parfaitement saines, il les faisait mourir et périr en les assommant et en les frappant avec de gros bâtons sur le crâne… Quand mon étoffe fut sous son aisselle, il se mit rapidement en route, et m'invita à passer chez lui chercher six écus d'or.

LE JUGE

Il n'y a ni rime ni raison dans tout ce que vous débitez. Qu'est-ce qu'il y a ? vous entrelardez votre propos d'une chose puis d'une autre. Au total, sacré bon sang, je n'y vois goutte. Il s'embrouille avec l'étoffe et vient ensuite babiller de brebis, au petit bonheur ! Il n'y a aucune cohérence dans ses propos.

PATHELIN

Je suis prêt à parier qu'il retient son salaire au pauvre berger !

LE DRAPIER

Par Dieu, vous feriez mieux de vous taire ! Mon étoffe, aussi vrai que la messe… — je sais mieux que vous ou un autre où le bât me blesse — Tête Dieu, vous l'avez !

LE JUGE

Qu'esse qu'il a ?

LE DRAPPIER

Rien, monseigneur.
Par mon serment, c'est le grigneur
Trompeur... Hola, je m'en tairay
Se je puis, et n'en parleray
Meshuy, pour chose qu'il advienne.

LE JUGE

Et non ! mais qu'il vous en souvienne !
Or conclués appertement.

PATHELIN

Ce bergier ne peult nullement
Respondre au fait[1] *que l'en propose*
S'il n'a du conseil, et il n'ose
Ou il ne scet en demander.
S'i vous plaisoit moy commander
Que je fusse a luy, je y seroye.

LE JUGE

Avecques luy ? Je cuideroye
Que ce fust trestoute froidure :
C'est Peu d'Aquest.

1. Levet : *fais.*

LE JUGE

Qu'est-ce qu'il a ?

LE DRAPIER

Rien, monseigneur. Sur mon âme, c'est le plus grand trompeur… Holà, je ne vais plus en parler si je peux, et je n'en dirai plus un mot aujourd'hui, quoi qu'il advienne.

LE JUGE

Hé, non ! et tâchez de vous en souvenir ! Allez, concluez clairement.

PATHELIN

Ce berger n'est pas en état de répondre aux faits exposés sans l'aide d'un conseiller, et il n'ose ou ne sait en demander. Si vous vouliez commander que je l'assiste, je le défendrais.

LE JUGE

Le défendre, lui ? J'ai bien peur que ce soit la dèche complète : c'est Bourse-Vide[1].

1. *Bourse-Vide* traduit *Peu d'Aquest*, surnom symbolique qui devait être en usage dans la langue populaire. Un personnage s'appelle Peu d'Aquest dans la moralité de *Métier et Marchandise*.

PATHELIN

Moy je vous jure
Qu'aussi n'en vueil riens avoir.
Pour Dieu soit ! Or je vois savoir
Au povret qu'il me vouldra dire,
Et s'il me sçaura point instruire
Pour respondre aux faitz de partie.
Il auroit trop[1] *dure partie*
De cecy, qui ne le secourroit.

Vien ça, mon amy. Qui pourroit
Trouver... Entens ?

LE BERGIER

Bée !

PATHELIN

Quel « bée » dea ?
Par le sainct sang que Dieu rea,
Es tu fol ? Dy moy ton affaire.

LE BERGIER

Bée !

PATHELIN

Quel « bée » ? Oys tu tes brebis braire ?
C'est pour ton proffit, entendz y.

1. *Trop* est ajouté d'après le manuscrit Bigot.

PATHELIN

Pour moi, je vous jure qu'aussi bien je ne veux rien lui demander. Ce sera pour l'amour de Dieu ! Je vais donc apprendre du pauvre garçon ce qu'il voudra bien me dire, et s'il saura m'éclairer pour répondre aux accusations de son adversaire. Il aurait du mal à se sortir de cette histoire si on ne lui venait pas en aide.

[*Au Berger*]

Approche, mon ami. Si on pouvait trouver...

[*Le Berger regarde ailleurs et feint de ne pas entendre...*]

Tu comprends ?

LE BERGER

Bée !

PATHELIN

Quoi « bée », crénom ? Par le saint sang que Dieu versa, es-tu fou ? Dis-moi ton affaire.

LE BERGER

Bée !

PATHELIN

Quoi « bée » ? Entends-tu tes brebis bêler ? C'est pour ton bien, comprends-le.

LE BERGIER

Bée !

PATHELIN

Et, dy « ouy » ou « nenny » !
(C'est bien fait. Dy tousjours !) Feras ?

LE BERGIER

Bée !

PATHELIN

(Plus hault !) ou tu t'en trouveras
En grans despens, et je m'en doubte.

LE BERGIER

Bée !

PATHELIN

Or est il plus fol qui boute
Tel fol naturel en procés !
Ha, sire, renvoiés l'en a ses
Brebis ! Il est fol de nature.

LE BERGER

Bée !

PATHELIN

Hé, dis au moins « oui » ou « non » !

[*Tout bas, au Berger*]

Très bien. Continue !

[*À haute voix*]

Parleras-tu ?

LE BERGER

Bée !

PATHELIN

[*Tout bas, au Berger*]

Plus fort !

[*À haute voix*]

Sinon ça te coûtera cher, je le crains.

LE BERGER

Bée !

PATHELIN

Allons, il faut être encore plus fou que ce fou congénital pour lui faire un procès ! Ah, monsieur, renvoyez-le à ses brebis ! Il est fou de naissance.

LE DRAPPIER

Est il fol ? Saint Sauveur d'Esture !
Il est plus saige que vous n'estes.

LE JUGE

Envoiés le garder ses bestes,
Sans jour, que jamais ne retourne !
Que mauldit soit il qui ajourne
Telz folz, ne ne fait ajourner !

LE DRAPPIER

Et l'en fera l'en retourner
Avant que je puisse estre ouy ?

LE JUGE

M'aist Dieu, puis qu'il est fol, ouÿ.
Pour quoy ne fera ?

LE DRAPPIER

Hé dea, sire,
Au mains laissés moy avant dire
Et faire mes conclusïons.
Ce ne sont pas abusïons
Que je vous dy, ne moqueries.

LE JUGE

Ce sont toutes tribouilleries
Que de plaider a folz[1] *ne a folles !*
Escoutés. A mains de parolles :
La court n'en sera plus tenue.

1. Levet : *solz.*

LE DRAPIER

Il est fou ? Par le saint Sauveur des Asturies[1], il est plus avisé que vous tous !

LE JUGE

Envoyez-le garder ses bêtes, et sans autre convocation. Qu'il ne revienne jamais ! Maudit soit qui assigne ou fait assigner en justice de tels fous !

LE DRAPIER

Hé, le renverra-t-on avant que je puisse être entendu ?

LE JUGE

Mon Dieu, étant donné qu'il est fou, oui. Pourquoi ne le renverrait-on pas ?

LE DRAPIER

Hé diable, monsieur, laissez-moi au moins parler auparavant et présenter mes conclusions. Il ne s'agit dans mes propos ni de tromperies ni de moqueries.

LE JUGE

C'est ennui sur ennui que de faire un procès à des fous ou à des folles ! Écoutez. En peu de mots : le tribunal ne siégera pas plus longtemps.

1. Il y avait un couvent du Saint-Sauveur dans les Asturies, sur la route du pèlerinage de Compostelle et une paroisse du diocèse de Bayeux était dédiée au Saint Sauveur des Asturies (B. Roy).

LE DRAPPIER

S'en yront ilz sans retenue
De plus revenir ?

LE JUGE

Et quoy doncques ?

PATHELIN

Revenir ! Vous ne veistes oncques
Plus fol, n'en faictes neant response.
Et si ne vault pas mieulx une once
L'autre, tous deux sont folz sans cervelle.
Par Saincte Marie la belle,
Eulx deux n'en ont pas ung quarat !

LE DRAPPIER

Vous l'emportastes par barat,
Mon drap, sans paier, maistre Pierre.
Par la char bieu, moy, las pechierre[1] *!*
Ce ne fut pas fait de predomme.

PATHELIN

Or je regnie sainct Pierre de Romme
S'il n'est fin fol, ou il afolle !

LE DRAPPIER

Je vous congnois a la parolle,
Et a la robe, et au visaige.

1. Levet et Le Roy : *pierre* ; corrigé d'après le manuscrit La Vallière.

LE DRAPIER

Vont-ils partir sans être tenus de revenir ?

LE JUGE

Et quoi donc ?

PATHELIN

Revenir ? Vraiment, vous n'avez jamais vu plus fou ; inutile de rétorquer. Quant à l'autre, il n'a pas une once de bon sens, il ne vaut pas mieux. Tous les deux sont fous et n'ont rien dans la cervelle. Par sainte Marie la belle, à eux deux ils n'en ont pas un carat !

LE DRAPIER

Vous l'avez emportée par tromperie, mon étoffe, sans payer, maître Pierre. Sacrebleu, je ne suis qu'un pauvre pécheur ! Ce n'était pas agir en honnête homme.

PATHELIN

Je renie saint Pierre de Rome s'il n'est complètement fou, ou en train de le devenir !

LE DRAPIER

Je vous reconnais à votre voix, et à votre habit, et à votre visage.

Je ne suis pas fol, je suis sage
Pour congnoistre qui bien me fait.

Je vous compteray tout le fait,
Monseigneur, par ma conscience !

PATHELIN

Hée ! sire, imposés leur silence.

N'av'ous honte de tant debatre
A ce bergier. Pour trois ou quattre
Vielz brebiailles ou moutons
Qui ne valent pas deux boutons,
Il en fait plus grant kyrielle...

LE DRAPPIER

Quelz moutons ? C'est une viele !
C'est a vous mesme que je parle
Et vous me le rendrés, par le
Dieu qui voult a Noel estre né.

LE JUGE

Véez vous ! suis je bien assené !
Il ne cessera huy de braire.

LE DRAPPIER

Je luy demande...

Je ne suis pas fou et je suis assez avisé pour reconnaître qui me veut du bien.

[*Au Juge*]

Je vous conterai toute l'affaire, monseigneur, sur ma conscience !

PATHELIN

[*Au Juge*]

Hé, monsieur, imposez-leur silence !

[*Au Drapier*]

N'avez-vous pas honte de tant chicaner ce berger. Pour trois ou quatre vieilleries de brebis ou de moutons qui ne valent pas deux clous, vous en faites une litanie plus longue…

LE DRAPIER

Quels moutons ? C'est une vraie ritournelle ! C'est à vous en personne que je m'adresse, et vous la rendrez, par le Dieu qui voulut naître à Noël.

LE JUGE

Voyez-vous ! Me voici bien loti ! Il ne va pas cesser de brailler.

LE DRAPIER

Je lui demande…

PATHELIN

Faictes le taire.
Et, par Dieu, c'est trop flageollé !
Prenons qu'il en[1] *ait affolé*
Six ou sept ou une douzaine,
Et mangés : en sanglante estraine,
Vous en estes bien meshaigné !
Vous avés plus que tant gaigné
Au temps qu'il les vous a gardés.

LE DRAPPIER

Regardés, sire, regardés !
Je luy parle de drapperie
Et il respond de bergerie.
Six aulnes de drap, ou sont elles ?
Que vous mistes soubz vous esselles !
Pensés vous point de les moy rendre ?

PATHELIN

Ha ! sire, le ferés vous pendre
Pour six ou sept bestes a laine ?
Au mains reprenés vostre alaine,
Ne soiés pas si[2] *rigoureux*
Au povre bergier douloreulx,
Qui est aussi nu comme ung ver.

1. *En* est ajouté d'après le manuscrit La Vallière.
2. *Si* est ajouté d'après le manuscrit La Vallière et Le Roy.

PATHELIN

Faites-le taire. Hé, par Dieu, c'est trop caqueter ! Supposons qu'il en ait tué six ou sept ou une douzaine, et qu'il les ait mangés : bon sang, vous en êtes bien lésé ! Vous avez gagné bien plus pendant qu'il vous les a gardés.

LE DRAPIER

Regardez, monsieur, regardez ! je lui parle étoffe et il répond moutons. Six aunes d'étoffe ! Où sont-elles ? Vous les avez mises sous votre aisselle ! Ne pensez-vous point me les rendre ?

PATHELIN

Ha ! monsieur, le ferez-vous pendre pour six ou sept bêtes à laine ? Reprenez vos esprits, ne soyez pas impitoyable pour le pauvre berger accablé, qui est nu comme un ver.

LE DRAPPIER

C'est tresbien retourné le ver !
Le deable me fist bien vendeur
De drap a ung tel entendeur.
Dea, monseigneur[1]*, je luy demande...*

LE JUGE

Je l'assolz de vostre demande
Et vous deffendz le proceder.
C'est ung bel honneur de plaider
A ung fol ! Va t'en a tes bestes !

LE BERGIER

Bée !

LE JUGE

Vous monstrés bien qui vous estes,
Sire, par le sang Nostre Dame !

LE DRAPPIER

Hé ! dea, monseigneur, bon gré m'ame,
Je luy vueil...

PATHELIN

S'en pourroit il taire ?

LE DRAPPIER

Et c'est a vous que j'ay a faire !
Vous m'avés trompé faulsement,

1. Levet : *monseigueur.*

LE DRAPIER

Voilà qui est changer de sujet ! C'est bien le diable qui me fit vendre de l'étoffe à un tel roublard. Voyons, monseigneur, je lui demande…

LE JUGE

Je l'absous de votre plainte et vous interdis de poursuivre le procès. Quel bel honneur que de plaider contre un fou !

[*Au Berger*]

Retourne à tes bêtes !

LE BERGER

Bée !

LE JUGE [*au Drapier*]

Vous montrez bien ce que vous êtes, monsieur, par le sang de la Vierge !

LE DRAPIER

Hé ! voyons, monseigneur, sur mon âme, je veux lui…

PATHELIN

Ne pourrait-il se taire ?

LE DRAPIER

Mais c'est à vous que j'ai affaire ! Vous m'avez trompé par votre fausseté,

Et emporté furtivement
Mon drap, par vostre beau langage.

PATHELIN

J'en appelle en mon courage !
Et vous l'oüez bien, monseigneur ?

LE DRAPPIER

M'aist Dieu, vous estes le grigneur
Trompeur ! Monseigneur, que je die...

LE JUGE

C'est une droicte cornardie
Que de vous deux ; ce n'est que noise.
M'aist Dieu ! je los que je m'en voise.

Va t'en, mon amy. Ne retourne
Jamais, pour sergent qui t'ajourne.
La court t'asoult, entens tu bien ?

PATHELIN

Dy « grans merci ».

LE BERGIER

Bée !

LE JUGE

Dis je bien :
Va t'en, ne te chault. Autant vaille !

et vous avez emporté furtivement mon étoffe, grâce à vos belles paroles.

PATHELIN

J'élève la plus ferme protestation ! Hé, l'entendez-vous bien, monseigneur ?

LE DRAPIER

Grand Dieu, vous êtes le plus grand des trompeurs !

[*Au Juge*]

Monseigneur, je veux dire..

LE JUGE

Nous sommes en pleine bouffonnerie avec vous deux, en pleine chamaillerie. Grand Dieu, je suis d'avis de m'en aller.

[*Au Berger*]

Va-t'en, mon ami. Ne reviens jamais plus, même si un sergent te convoque. La cour t'absout, comprends-tu bien ?

PATHELIN

Dis : « merci beaucoup ».

LE BERGER

Bée !

LE JUGE

Je dis bien : va-t'en, ne t'inquiète pas, c'est inutile !

LE DRAPPIER

Esse raison qu'il s'en aille
Ainsi ?

LE JUGE

Ay ! j'ay a faire ailleurs.
Vous estes par trop grant railleurs.
Vous ne m'y ferés plus tenir,
Je m'en vois. Voulés vous venir
Souper avec moy, maistre Pierre ?

PATHELIN

Je ne puis.

LE DRAPPIER

Ha, qu'es tu fort lierre !
Dictes, seray je point payé ?

PATHELIN

De quoy ? Estes vous desvoyé ?
Mais qui cuidés vous que je soye ?
Par le sang de moy, je pensoye
Pour qui c'est que vous me prenés.

LE DRAPIER

Est-il normal qu'il s'en aille comme ça ?

LE JUGE

Hé, là ! j'ai à faire ailleurs. C'est vraiment trop vous moquer. Vous ne me ferez pas rester davantage, je m'en vais. Voulez-vous venir souper avec moi, maître Pierre ?

PATHELIN

Je ne puis.

[*Le Juge s'éloigne.*]

[*SCÈNE 4*]

[LE BERGER, PATHELIN, LE DRAPIER]

LE DRAPIER

Ha, que tu es un rusé larron ! Dites, ne serai-je point payé ?

PATHELIN

De quoi ? Êtes-vous dérangé ? Mais qui croyez-vous que je sois ? Bon sang de moi, je me demandais pour qui vous me prenez.

LE DRAPPIER

Bée dea !

PATHELIN

Beau sire, or vous tenés.
Je vous diray, sans plus attendre,
Pour qui vous me cuidés prendre.
Esse point pour Esservellé ?
Voy ! nennin, il n'est point pelé,
Comme je suis, dessus la teste.

LE DRAPPIER

Me voulés vous tenir pour beste ?
C'estes vous en propre personne,
Vous de vous ! Vostre voix le sonne,
Et ne le croiés aultrement.

PATHELIN

Moy de moy ? Non suis, vraiement.
Ostés en vostre opiniön.
Seroit ce point Jehan de Noyon ?
Il me resemble de corsage.

LE DRAPIER

Bée, là !

PATHELIN

Cher monsieur, contrôlez-vous. Je vais vous dire, sans plus attendre, pour qui vous vous imaginez me prendre : n'est-ce point pour Écervelé[1] ? [*Il ôte son chaperon.*] Regarde ! que non, il n'a pas le crâne chauve comme moi.

LE DRAPIER

Voulez-vous me prendre pour un imbécile ? C'est vous en personne, vous de vous ! c'est bien le son de votre voix, n'allez pas croire autre chose.

PATHELIN

Moi de moi ? Vraiment pas, non. Ôtez-vous ça de la tête. Ne serait-ce pas Jean de Noyon[2] ? Il me ressemble, il a la même taille.

1. *Écervelé* est sans doute un personnage de fiction populaire. Dans un libelle burlesque paru à Rouen au XVIe siècle, *La Grande Confrérie des saouls d'ouvrer et enragez de rien faire*, on lit : « Aucuns nos autres justiciers et subjets si comme escervellez, fols, frénatiques, outre-cuidiez, conars, musars... », et l'on voit les connotations qui s'attachent à cet adjectif qui est dans la farce le nom d'un personnage.

2. Jean de Noyon serait à mettre dans la même série que Jean de Nivelle ou Jehan de Lagny, types de sots attestés.

LE DRAPPIER

Hé deable, il n'a pas visaige
Ainsi potatif, ne si fade !
Ne vous laissé je pas malade
Orains, dedens vostre maison ?

PATHELIN

Ha, que vecy bonne raison !
Malade ! Et quel maladie ?
Confessés vostre cornardie[1]*,*
Maintenant est elle bien clere.

LE DRAPPIER

C'estes vous, ou regnie saint Pierre !
Vous, sans aultre, je le sçay bien
Pour tout vray !

PATHELIN

Or n'en croyez rien[2]*,*
Car certes ce ne suis je mie.
De vous oncq aulne ne demie
Ne prins, je n'é pas le los tel.

LE DRAPPIER

Ha ! je vois veoir en vostre hostel,
Par le sang bieu, se vous y estes.
Nous n'en debatrons plus nos testes
Ycy se vous treuve la.

1. Levet : *cornadie.*
2. *Or n'en croyez rien* manque dans Levet et dans Le Roy ; suppléé d'après l'édition Galiot du Pré de 1532.

LE DRAPIER

Hé diable, il n'a pas le visage si aviné[1] ni si pâle ! Ne vous ai-je pas laissé malade à l'instant, dans votre maison ?

PATHELIN

Ha, la belle explication que voilà ! Malade ! Et de quelle maladie ? Avouez votre sottise, elle est à présent bien claire.

LE DRAPIER

C'est vous, ou je renie saint Pierre ! vous et personne d'autre, je le sais bien, c'est la pure vérité !

PATHELIN

N'en croyez rien, car ce n'est certainement pas moi. Je ne vous ai jamais pris une aune ou la moitié d'une aune, je n'ai pas cette réputation.

LE DRAPIER

Ha, çà ! je vais voir dans votre logis, sacré bon sang, si vous y êtes. Nous n'aurons plus à nous casser la tête ici, si je vous trouve là-bas.

1. *Aviné* traduit *potatif*, que nous avons déjà rencontré au vers 770. Notre traduction rattache ce mot à pot (pour boire), mais si l'on suit J. Pons, on traduira par « cet avocat pisseux ». Voir note 1, page 145.

PATHELIN

Par Nostre Dame, c'est cela !
Par ce point le sçaurés vous bien.

Dy, Aignelet.

LE BERGIER

Bée !

PATHELIN

Vien ça, vien.
Ta besongne est elle bien faicte ?

LE BERGIER

Bée !

PATHELIN

Ta partie est retraicte,
Ne dy plus « bée », il n'y a force.
Luy ay je baillée belle estorse ?
T'ay je point conseillé a point ?

PATHELIN

Par Notre Dame, c'est cela ! De cette façon vous le saurez bien.

[*Le Drapier s'en va.*]

[*SCÈNE 5*]

[LE BERGER, PATHELIN]

PATHELIN [*s'approchant du Berger*]

Dis, Agnelet.

LE BERGER

Bée !

PATHELIN

Approche, viens. Ton affaire est-elle bien réglée ?

LE BERGER

Bée !

PATHELIN

La partie adverse est partie, ne dis plus « bée », c'est inutile. L'ai-je bien emberlificotée ? Ne t'ai-je pas conseillé de belle façon ?

LE BERGIER

Bée !

PATHELIN

Hé dea, on ne te orra point.
Parle hardiment, ne te chaille.

LE BERGIER

Bée !

PATHELIN

Il est temps que je m'en aille.
Paye moy.

LE BERGIER

Bée !

PATHELIN

A dire veoir,
Tu as tresbien fait ton debvoir,
Et aussi tresbonne contenance.
Ce qui luy a baillé l'avance,
C'est que tu t'es tenu de rire.

LE BERGIER

Bée !

PATHELIN

Quel « bée » ? Il ne le fault plus dire.
Paye moy bien et doulcement.

LE BERGER

Bée !

PATHELIN

Hé, dis, on ne t'entendra pas. Parle sans crainte, ne t'inquiète pas.

LE BERGER

Bée !

PATHELIN

Il est temps que je m'en aille. Paie-moi.

LE BERGER

Bée !

PATHELIN

Pour dire la vérité, tu as été excellent dans ton rôle ; excellente aussi la mine que tu faisais. Ce qui l'a achevé, c'est que tu t'es retenu de rire.

LE BERGER

Bée !

PATHELIN

Quoi, « bée » ? Il n'est plus besoin de le dire. Paie-moi bien et gentiment.

LE BERGIER

Bée !

PATHELIN

Quel « bée » ? Parle saigement
Et me paye, si m'en yray.

LE BERGIER

Bée !

PATHELIN

Scez tu quoy ? je te diray :
Je te pry, sans plus m'abaier,
Que tu penses de moy poyer.
Je ne vueil plus de ta baierie.
Paye tost !

LE BERGIER

Bée !

PATHELIN

Esse mocquerie ?
Esse quantque tu en feras ?
Par mon serment, tu me paieras,
Entens tu ? se tu ne t'envoles.
Sa, argent !

LE BERGIER

Bée !

LE BERGER

Bée !

PATHELIN

Quoi, « bée » ? Parle normalement et paie-moi, je m'en irai.

LE BERGER

Bée !

PATHELIN

Sais-tu quoi ? je vais te le dire : je te prie, cesse de brailler et pense à me payer. Je ne veux plus de tes bêlements. Paie-moi vite !

LE BERGER

Bée !

PATHELIN

Te moques-tu ? Est-ce là tout ce que tu feras ? Bon sang, tu me paieras, comprends-tu ? si tu ne t'envoles pas. Çà, l'argent !

LE BERGER

Bée !

PATHELIN

Tu te rigolles !
Comment ? N'en auray je aultre chose ?

LE BERGIER

Bée !

PATHELIN

Tu fais le rimeur en prose !
Et a qui vends tu tes coquilles ?
Scez tu qu'il est ? Ne me babilles
Meshuy de ton « bée » et me paye !

LE BERGIER

Bée !

PATHELIN

N'en auray je aultre monnoye ?

A qui te cuides tu jouer ?
Je me devoie tant louer
De toy ! Or fais que je m'en loe.

LE BERGIER

Bée !

PATHELIN

Tu veux rire ! Comment ? N'en tirerai-je rien d'autre ?

LE BERGER

Bée !

PATHELIN

Tu en rajoutes[1] ! Hé, à qui crois-tu vendre tes sornettes ? Sais-tu ce qu'il en est ? Cesse désormais de me débiter ton « bée » et paie-moi !

LE BERGER

Bée !

PATHELIN

[*À part*]

N'en tirerai-je rien d'autre, pas d'argent ?

[*Au Berger*]

De qui crois-tu te moquer ? Moi qui devais être si content de toi ! Fais donc en sorte que je sois content de toi.

LE BERGER

Bée !

1. *Tu fais le rimeur en prose*, c'est-à-dire tu essaies de montrer de l'habileté dans un domaine où elle est exclue, tu cherches à briller alors que tu en es incapable.

PATHELIN

Me fais tu mengier de l'oe ?
Maugré bieu ! ay je tant vescu
Que ung bergier, ung mouton vestu,
Ung villain paillart me rigolle ?

LE BERGIER

Bée !

PATHELIN

N'en auray je aultre parolle ?

Se tu le fais pour toy esbatre,
Dy le, ne m'en fays plus debatre.
Vien t'en soupper a ma maison.

LE BERGIER

Bée !

PATHELIN

Par saint Jehan, tu as raison.
Les oisons mainnent les oes paistre !

PATHELIN

Me fais-tu manger de l'oie[1] ? Sacrebieu ! ai-je vécu jusque-là pour qu'un berger, un mouton en habit, un paillard rustaud se moque de moi ?

LE BERGER

Bée !

PATHELIN

[*À part*]

N'en tirerai-je rien d'autre, pas un mot ?

[*Au Berger*]

Si tu le fais pour te divertir, dis-le, et ne me laisse pas en discuter plus longtemps. Viens-t'en souper à la maison.

LE BERGER

Bée !

PATHELIN

Par saint Jean, tu as raison. Les oisons mènent les oies paître[2] !

1. Ici, l'expression a clairement son sens figuré correspondant à l'expression familière « me mènes-tu en bateau ». Elle prend évidemment tout son sel dans le rappel de la manœuvre de Pathelin invitant le Drapier à venir manger de l'oie chez lui pour être payé (voir le vers 300).

2. *Les oisons mènent les oies paître* : c'est le monde à l'en-

Or cuidoye estre sur tous maistre,
Dé trompeurs d'icy et d'ailleurs,
Des fort coureux et des bailleurs
De parolles en payement,
A rendre au jour du Jugement,
Et ung bergier des champs me passe !
Par saint Jaques, se je trouvasse
Ung bon sergent, je te fisse prendre !

LE BERGIER

Bée !

PATHELIN

Heu, « bée » ! L'en me puisse pendre
Se je ne vois faire venir
Ung bon sergent ! Mesadvenir
Luy puisse il, s'il ne t'enprisonne !

LE BERGIER

S'il me treuve je luy pardonne !

Explicit

Je me targuais de l'emporter sur tout le monde et être le maître des trompeurs d'ici et d'ailleurs, des aigrefins et des bailleurs de monnaie de singe, à solder au jour du Jugement dernier. Et un berger des champs me surpasse ! Par saint Jacques, si je trouvais un bon sergent, je te ferais prendre !

LE BERGER

Bée !

PATHELIN

Heu ! « Bée » ! Je veux bien être pendu si je ne vais requérir un bon sergent ! Et malheur à lui s'il ne t'emprisonne !

[*Pathelin sort.*]

LE BERGER

S'il me trouve, je lui pardonne[1] !

[*Le Berger s'enfuit.*]

---

vers, l'ordre naturel des choses est renversé. Pathelin, qui se croyait roi de la tromperie, se voit berné par un simple berger.

1. *Le Garçon et l'Aveugle*, pièce de type farcesque la plus ancienne de notre littérature (fin du XIIIe siècle), se termine de la même façon. Le Garçon, qui a grugé l'Aveugle et s'enfuit avec son argent, lance une dernière moquerie à son adresse avant de disparaître : *S'il ne vous siet, si me sivés !* (« Si vous n'êtes pas content, courez-moi après ! »)

DOSSIER

CHRONOLOGIE

Les Turcs

1453. Mahomet II prend Constantinople. L'Occident songe à lancer contre les Turcs une croisade — qui ne sera jamais engagée.

1458. Les Turcs s'emparent d'Athènes.

Les Papes

Inspirés par un esprit nouveau, ils font de Rome une capitale des arts et des lettres selon l'esprit de la Renaissance. Sixte IV (1471-1484) organise la Bibliothèque vaticane, il ouvre au Capitole un musée d'Antiquités et il fait décorer la chapelle Sixtine par les plus grands artistes de l'époque

La France et l'Angleterre : fin de la guerre de Cent Ans

1429. Jeanne d'Arc délivre Orléans assiégé par les Anglais Elle est brûlée à Rouen en 1431.

1449-1453. Charles VII reprend la Normandie puis la

Guyenne aux Anglais. La victoire de Castillon en 1453 est le dernier affrontement de cette guerre.

1456. Réhabilitation de Jeanne d'Arc : son procès et sa condamnation sont annulés.

1475. Une dernière tentative d'invasion anglaise se termine par le traité de Picquigny : le roi d'Angleterre renonce à ses prétentions sur la couronne et à ses possessions en France.

La France

1461-1483. Règne de Louis XI. Il méprise les féodaux qui s'associent contre lui dans la Ligue du Bien Public en 1465. Il use d'une diplomatie où la ruse et les fausses promesses sont courantes. Il achète ses adversaires avec de l'argent. Commynes le surnomme « l'universelle araignée ». Ce « roi des bourgeois » se désintéresse des valeurs chevaleresques mais veille au développement économique du pays. Le commerce et la fabrication des étoffes se développent en France. La foire de Lyon est créée en 1466.

1483. Mort de Louis XI. Charles VIII est jeune : régence des Beaujeu qui poursuivent la politique économique de Louis XI.

La Bourgogne

1467-1477. Charles le Téméraire est duc de Bourgogne il succède à Philippe le Bon. Il est maître des Pays-Bas au nord et de la Bourgogne au sud. Il rêve d'une couronne. Ses ambitions s'effondrent en 1477 quand il est écrasé devant Nancy et y trouve la mort. La Flandre, l'Artois et la Bourgogne reviennent au royaume de France.

L'imprimerie

1454. Jean Gutenberg imprime à Mayence le premier livre produit avec des caractères en plomb.

1470. La première imprimerie française s'installe à la Sorbonne. Dans les années qui suivent s'opère grâce à l'imprimerie une révolution dans la diffusion des idées et des textes. On imprime des livres religieux, les œuvres des auteurs grecs et latins, mais aussi les auteurs du temps : *Le Testament* de Villon comme *Pathelin* sont imprimés en 1489-1490. On appelle *incunables* les livres qui ont été imprimés avant 1500.

La littérature

1456. Villon, *Le Petit Testament*.

1456. Antoine de la Sale, *Le Petit Jehan de Saintré*.

1457. Le roi René, duc d'Anjou : *Le Livre du cœur d'amour épris*.

1460-1470 (vers). *Les Cent Nouvelles nouvelles*.
Le Livre des faits de Jacques de Lalaing.
Jean Meschinot, *Les Lunettes des princes*.
Georges Chastellain, *Chronique des guerres de Bourgogne*.

1461. Villon, *Le Testament*.

Les arts

La première Renaissance s'épanouit. La peinture est particulièrement florissante en Flandre (Van Eyck, Van der Weiden, Memling) et en Italie (Botticelli, Léonard de Vinci)

En France :

1450. *Le Livre d'Heures* d'Estienne Chevalier, miniatures de Fouquet.

Le théâtre religieux

1452. Arnoul Gréban, *Le Mystère de la Passion*, joué à plusieurs reprises à Paris dans les vingt ans qui suivirent.

1455. J. Du Prier, *Le Mystère du Roi Advenir*.

1456. *Le Mystère de la Passion*, représenté à Angers.

1474. *Le Mystère de l'Incarnation et Nativité de Notre Sauveur*, représenté à Rouen.

1477. *La Passion d'Auvergne*, jouée à Montferrand.

1486. Jean Michel, *Le Mystère de la Passion*, représenté à Angers

Le théâtre profane

Après 1450 commence la vogue des farces, des sotties, des monologues, des moralités. Certaines de ces pièces peuvent être approximativement datées comme le *Monologue du Franc Archer de Bagnolet* (vers 1470), mais si elles sont sans doute nombreuses à remonter à cette époque, on ne peut le plus souvent les situer précisément.

La Farce de Maître Pathelin

1460 (vers). Composition de *La Farce de Maître Pathelin*.
1480 (avant). Copie manuscrite de la farce.
1486. Édition de *Maître Pierre Pathelin*, à Lyon chez Guillaume Le Roy.
1489. Édition de *Maître Pierre Pathelin*, à Paris chez Pierre Levet. Le texte est orné de gravures sur bois.
1490. Édition de *Maître Pierre Pathelin*, à Paris chez Germain Beneaut.

NOTICE

LE TEXTE ET LA SCÈNE

Les manuscrits et les éditions du XVe siècle nous ont livré un texte. Nous ne possédons que les répliques des personnages, précédées du nom de celui à qui elles reviennent. Aucune indication de mise en scène, aucune division en acte ou en scène. Rien non plus sur le spectacle dont elle pouvait faire partie. *La Farce de Maître Pathelin* en tant que pièce de théâtre reste pour une bonne part à imaginer.

Le metteur en scène Daniel Mesguish soulignait le statut ambigu des textes dramatiques : ils sont livres, mais livres qui n'ont pas leur fin en la seule lecture, ils sont destinés au théâtre. « Cela veut dire que ces textes sont incomplets, qu'il leur manque — littéralement — leur destin. Ils ne sont achevés et d'une certaine manière totalement lisibles que sur une scène. » Mais il ajoutait aussitôt qu'aucune mise en scène ne peut prétendre donner au texte dramatique cet achèvement, « car jamais le théâtre n'en viendra à bout, et l'histoire de toutes ses représentations ne sera jamais que l'échec de toutes les forces déployées pour l'achever. »

Des mises en scène, il y en eut plusieurs, fécondes et pleines d'heureuses trouvailles scéniques. Il y en aura d'autres et chacune apportera son lot de nouveautés en rapport avec les moyens dont dispose la scène moderne. Mais nous voudrions ici essayer de relever quelques indices des possibilités de jeu qu'offrait le théâtre de l'époque pour une pièce comme celle-ci.

La première question que l'on peut se poser concerne la composition du spectacle dans lequel elle pouvait entrer. On conçoit, d'après ce que nous avons vu du théâtre des farces (voir la Préface, p. 36-37), qu'elle suffisait à fournir une représentation complète. Elle fit partie du répertoire dans lequel triomphait un acteur célèbre du nom de Triboulet, que l'on connaît par *La Sottie des Vigiles de Triboulet*. On ne sait malheureusement rien d'autre sur ce Triboulet, même si plusieurs acteurs comiques ainsi que le fou du roi René d'Anjou portaient ce nom. Dans *La Sottie des Copieurs et Lardeurs*, aux sots qui cherchent des farces à jouer, le libraire propose *La Farce de Maître Pathelin* parmi d'autres farces. Elle pouvait donc être jouée sur une estrade comme *Le Cuvier*, et faire partie des pièces que les troupes d'amuseurs, professionnels ou non, pouvaient produire.

Le manuscrit La Vallière[1] nous propose une autre possibilité. Il contient en effet quatre textes de théâtre, deux sont des moralités, deux sont des farces. La moralité est une pièce « sérieuse », qui comprend souvent deux à trois mille octosyllabes ; le moteur de l'action en est un problème de conduite morale présenté de façon manichéenne et les personnages sont des allégories des notions en cause. Dans les spectacles plus ambitieux que les farces de foire ou de cabaret, l'usage était d'allier une moralité avec une farce qui venait à la fin (l'usage s'en conservait encore du temps de Molière). Or dans ce recueil, la moralité *Le Petit, le Grand, Conseil, Justice et Paris* est suivie de *La Farce de Maître*

1. Bibliothèque nationale, manuscrit français 25467.

Pathelin, et la moralité *Aucun, Connaissance, Malice, Puissance, Autorité et Malheur* est suivie de la farce de *La Pipée*. L'ordonnance du recueil paraît indiquer qu'on y trouve consignés les textes de deux représentations. Ce qui paraît d'autant plus plausible que la première moralité compte cinq personnages comme *La Farce de Maître Pathelin* qui suit, et que la seconde en compte six comme la farce de *La Pipée* qui lui est accolée. Ce recueil, qui est tout au plus de vingt ans postérieur à la date de composition de *La Farce de Maître Pathelin*, nous montre donc celle-ci en situation dans un spectacle d'envergure auquel elle apporte une conclusion destinée à mettre le public en belle humeur.

Mais quel qu'en soit le contexte, farce de tréteaux ou élément d'un spectacle ambitieux, la représentation obéit aux mêmes impératifs. La scène n'offre aucun décor au sens moderne, elle est entourée du public sur trois côtés et le fond est fermé par un rideau derrière lequel les acteurs peuvent se retirer.

Comment une pièce comme *La Farce de Maître Pathelin* s'accommodait-elle des contraintes de cette aire de jeu ? Car il est sûr, et il est bien des gravures qui l'attestent, que l'on ne peut pour une farce faire appel à ce que l'on connaît pour les grands mystères : le décor simultané. Elle devait donc se satisfaire d'une seule estrade, sans élément qui sépare par exemple le lieu qui représente la maison de Pathelin de la foire où se tient le Drapier. Quand on pose ainsi le problème, on oublie que le public doit aussi tenir sa partie dans la représentation et que son imagination pourra suppléer aux ressources apparemment rudimentaires du dispositif scénique. La tradition de jeu est ici indispensable pour instituer les conventions qui permettent au théâtre d'exister.

Prenons le début de *Pathelin*. Lorsque la pièce commence, Pathelin et Guillemette sont en scène ; les premiers mots de Pathelin nous livrent le nom de Guillemette ; ils nous renseignent aussi sur leur situation de mari et femme, puisque le « je » du deuxième vers débouche ensuite sur un « nous ne pouvons rien amasser ». Remarquons que le nom de Pathelin ne nous est pas donné par l'échange des propos et que nous devrons attendre le vers 502 pour qu'il soit prononcé. C'est sans doute que le titre était annoncé et que son type était bien connu.

Une autre convention appartient au théâtre des farces : lorsqu'un mari et une femme ouvrent la pièce, le lieu qu'ils occupent est implicitement désigné comme leur maison. Une table, quelques tabourets, peuvent accentuer la désignation « intérieur de maison » ct l'ancrer spatialement.

Mais le problème le plus évident surgit lorsque Pathelin se rend auprès du Drapier. Vont alors se trouver juxtaposés sur scène deux lieux : l'intérieur de la maison de Pathelin et la foire. Nous rencontrons ici une des propriétés les plus constantes du lieu scénique de la farce : il n'est pas unitaire et présente souvent une partition binaire. Les documents iconographiques nous présentent en général une scène plus large que profonde et le jeu ne s'y déroule pas en profondeur mais en ligne. Il y a donc possibilité de juxtaposer deux aires de jeu qui, dans la fiction, sont ou non contiguës. L'estrade étant de dimensions modestes, on conçoit que les deux espaces ne soient pas délimités de façon précise : en fonction des nécessités du jeu, l'un doit pouvoir déborder sur l'autre sans gêne aucune. La première condition de cette malléabilité de l'espace scénique est l'absence de décor.

Mais ce sont les objets usuels qui portent les résonances que, dans d'autres formes de théâtre, l'on confère au décor Dans *La Farce de Maître Pathelin* on aura à côté du lieu défini comme la maison de Pathelin un autre lieu qui sera défini comme le champ de foire et l'étal du Drapier, par la simple présence de cet étal constitué d'une planche posée sur deux tréteaux, recouverte de quelques rouleaux d'étoffe.

Ces tabourets, cet étal situent les lieux de l'action, symbolisent l'intérieur ou la foire, et à ce titre servent de support et de garant aux autres éléments impliqués par l'action et qui ne sont pas représentés. Ils sont simplement évoqués : ainsi en est-il de l'entrée de la maison ; quand le Drapier vient chez Pathelin pour se faire payer, point n'est besoin qu'une porte soit matériellement représentée sur l'estrade. L'entrée où Guillemette va accueillir le Drapier n'a pas de porte et si tant de farces utilisent une porte, c'est précisément qu'elle n'est pas représentée : elle est le point de passage entre l'intérieur et l'extérieur, et elle est créée par l'action et par les propos des personnages. On annonce qu'on va entrer, on frappe à la porte, on crie « Hau, maître Pierre » de l'extérieur, avec d'autant plus de conviction que la porte n'existe pas, mais la présence de cette porte, assumée par le discours, permet d'énoncer de façon simple et immédiatement compréhensible le passage d'un intérieur à un extérieur ou vice versa.

Si donc, hors un ou deux objets au rôle d'ancrage du discours, le décor n'existe pas, la définition des lieux peut varier énormément en fonction des besoins de la situation. Dès que l'on quitte la proximité des tabourets ou de l'étal, par exemple, le lieu devient plastique et se prêtera à devenir, dans les hésitations du Drapier qui ne comprend rien à la situation qu'il a trouvée chez Pathelin, aussi bien l'abord immédiat de la maison de Pathelin d'où Guillemette le guette que le parcours qui le mène à son étal. Et dans la dernière partie de la pièce, il suffira d'introduire sur la scène un siège et un tabouret au centre pour que cet espace, qui auparavant était un espace neutre, non assigné, devienne le lieu du tribunal.

Cependant la coexistence sur la scène de deux lieux différents pose un problème qui peut échapper à la lecture. Que fait le Drapier quand Pathelin est chez lui ? Que fait Guillemette tandis que Pathelin est à la foire ? Ils peuvent rester sur scène, mais le rideau de fond leur offre aussi la possibilité de se retirer comme si, derrière ce rideau, se prolongeait l'espace défini sur scène.

À examiner ainsi les conditions de jeu, on s'aperçoit qu'en cours de représentation, le matériel en scène varie. Le lit où Pathelin va jouer le malade n'intervient que dans la deuxième partie et serait trop encombrant s'il était sur scène dès le début de la pièce, même si l'on conçoit que ce lit peut être fort simple. De même le lieu du tribunal ne sera matérialisé par le siège et le tabouret que lors du procès. Il faut donc supposer la possibilité d'introduire ces éléments sur la scène en cours de représentation, ce qui exige des interruptions de jeu, des moments de pause. Or, si aucun des textes de *La Farce de Maître Pathelin* n'apporte de précision sur la mise en scène, le recueil La Vallière présente trois fois dans la marge du texte de *Pathelin* l'indication « pausa ».

La première se trouve face au vers 1066, entre la visite du Berger au Drapier et son arrivée chez Pathelin ; elle se rencontre ensuite face au vers 1506, après le départ du Juge, puis face au vers 1540, après le départ du Drapier. Pause, cela signifie interruption de l'action à la fois pour donner un peu de répit aux acteurs et pour soulager l'attention des spectateurs. Ces pauses viennent donc ponctuer le déroulement de la pièce et établir un moment de détente entre les principales scènes de la dernière partie de la farce. On peut assez vraisemblablement supposer que d'autres pauses qui n'ont pas été notées intervenaient auparavant dans le cours de la pièce et en marquaient les principales étapes. La pause dans les mystères était souvent un chant, une intervention musicale ou une pitrerie de fou sans rapport avec le mystère ; dans une farce, on peut imaginer qu'il s'agissait d'une intervention instrumentale ou d'une chanson et que l'action se trouvait alors comme suspendue. Voilà qui nous donne unc idée du déroulement de la pièce et qui devait permettre de garder plus facilement l'attention de l'auditoire. Car le public n'a pas l'habitude de farces de cette dimension.

LA TRANSMISSION DES TEXTES DE THÉÂTRE PROFANE

Le texte de théâtre est un répertoire que les acteurs connaissent par cœur, qu'ils apprennent les uns des autres ou qui est copié rapidement sur un papier destiné à être chiffonné, déchiré et à disparaître sans laisser de traces. Il est probable que l'invention de l'imprimerie, combinée avec le goût d'une époque pour ces pièces, a joué un rôle déterminant dans la transmission des farces, sotties et moralités qui nous sont parvenues.

Les textes de farces

L'imprimerie à elle seule n'aurait toutefois pas suffi à assurer la survie de ces textes. Les farces étaient en effet imprimées sur des feuilles de papier selon une imposition qui permettait de mettre les plus courtes sur une seule feuille, et les plus longues sur deux feuilles. On gagnait de la place en faisant un pliage qui donnait un format tout en hauteur avec des marges étroites (dit format agenda), ce qui était rendu possible par la dimension de l'octosyllabe. On imagine bien que ces feuilles une fois pliées et découpées n'avaient guère de chance d'être conservées. Nous devons d'en connaître un certain nombre à des collectionneurs qui ont rassemblé les farces éparses qu'ils avaient recueillies et qui les ont fait relier ensemble. Nous sommes ainsi aujourd'hui en possession de quatre recueils de farces et de sotties avec quelques moralités :

— un recueil a conservé trente-cinq pièces dont trente-quatre sont sorties de l'officine des Trepperel ; ce sont en majorité des sotties, imprimées au début du XVIe siècle, avant 1525 ; ce recueil est aujourd'hui conservé à la Bibliothèque nationale, mais son dernier possesseur a démembré le recueil pour faire relier séparément chaque pièce ;

— un recueil conservé au British Museum contient soixante-quatre pièces qui furent imprimées dans les années 1540-1550, à Paris, à Lyon ou à Rouen ;

— un autre recueil, imprimé lui aussi vers 1540-1550, est entre les mains d'un collectionneur particulier ; il contient cinquante-trois farces et a été publié par Gustave Cohen ;

— un recueil manuscrit est, semble-t-il, une copie de pièces imprimées, dont beaucoup sont liées à la ville de Rouen ; ce manuscrit, qui appartint à la bibliothèque du duc de La Vallière au XVIIIe siècle (d'où sa désignation sous le nom de *Recueil La Vallière*), est conservé à la Bibliothèque nationale ; il rassemble soixante-quinze pièces.

Dans cet ensemble assez considérable, les pièces dont on possède plus d'un exemplaire sont l'exception. Les imprimés qu'on en conserve sont tous du XVIe siècle, même si parfois elles furent écrites dès le XVe siècle.

Chacun de ces recueils a été édité au XIXe ou au XXe siècle. Mais la voie la meilleure pour aborder ces textes dans leur authenticité est de consulter le large choix qu'en publie André Tissier. Bernard Faivre propose également un choix de farces comportant le texte original en orthographe modernisée et une traduction.

Le texte de La Farce de Maître Pierre Pathelin

De *Pathelin* on possède plusieurs copies manuscrites et un nombre important d'éditions.

Les manuscrits

Ils sont au nombre de quatre :

— *le manuscrit La Vallière* est le plus ancien ; il fit partie de la bibliothèque du duc de La Vallière (et ne se confond pas avec le recueil de farces issu de la même bibliothèque) ; il se trouve maintenant à la Bibliothèque nationale (ms. fr. 25467). Il s'agit d'un recueil de quatre pièces dramatiques qui est peut-être le reflet de groupements en vue d'une représentation (voir p. 259-260). La copie en fut effectuée vers 1480-1485, et est donc antérieure aux versions imprimées. Le texte y est transcrit de façon hâtive ; mais, malgré ses lacunes et ses négligences, il présente des leçons de grand intérêt et mérite d'être pris en compte pour une édition critique. On constate de plus que la langue utilisée présente dans ce texte des caractères linguistiques plus anciens que les versions imprimées.

— *le manuscrit Taylor* est aussi à la Bibliothèque nationale (ms. nouv. acq. fr. 4723). À la différence du précédent, c'est un manuscrit de luxe, un parchemin, calligraphié avec soin ; des espaces ont été réservés pour qu'y soient ensuite effectuées des miniatures. Il copie une édition imprimée de Pierre Levet et date du XVIe siècle. Il ne présente donc que peu d'intérêt pour l'établissement du texte, mais il témoigne de la faveur dont jouissait *Pathelin*, puisque c'était à cette époque une marque de raffinement que de faire entrer un texte dans sa bibliothèque sous forme d'un superbe manuscrit plutôt que sous les apparences plus populaires d'un imprimé.

— *le manuscrit Bigot*, conservé à la Bibliothèque nationale (ms. fr. 15080), est une copie sur papier. La date proposée par Holbrook demande à être révisée et son importance mérite d'être réévaluée. Darwin Smith s'y emploie. Il propose une date nettement antérieure (vers 1480), ce qui donnerait à ce manuscrit un statut de témoin capital, et il en prépare une édition.

— *le manuscrit Harvard*, conservé à l'université de Harvard, est une copie tardive sur papier (fin XVIe ou peut-être XVIIe siècle).

Les imprimés

Si l'on songe que le premier livre imprimé en France sortit en 1470, on ne peut qu'être étonné de la faveur dont a joui *La Farce de Maître Pierre Pathelin* dont le premier imprimé conservé date de 1485 et qui ne connut pas moins de treize éditions avant 1515. À cette faveur, on ajoutera que l'édition de Pierre Levet, qui est de 1489-1490, est ornée de bois gravés spécialement pour la pièce, ce qui est un privilège assez rare, quand on voit d'ordinaire des gravures plus ou moins adaptées passer d'un texte à l'autre. Et l'on soulignera enfin que cette pièce n'est pas imprimée dans le format agenda qui est le plus courant pour les pièces de théâtre. Ce traitement particulier marque la place exceptionnelle dont a bénéficié *La Farce de Maître Pierre Pathelin* à la fin du XVe et dans la première moitié du XVIe siècle.

Présentons succinctement les trois premières éditions imprimées de cette farce :

— *l'édition de Guillaume Le Roy* est sans indication de lieu ou de date et ne comporte pas de nom d'imprimeur. Mais les chercheurs ont établi, par comparaison avec l'édition d'autres textes comportant des indications d'origine, que les caractères gothiques de cette édition avaient appartenu jusqu'en 1486 à Guillaume Le Roy, imprimeur à Lyon. Cette édition ne comporte aucune gravure.

— *l'édition de Pierre Levet* n'est pas datée, mais elle porte sur la page de titre l'emblème de cet imprimeur parisien, et l'on a pu remarquer en comparant cet emblème avec celui qui figure dans l'édition du *Blason des faulses amours*, datée du 20 octobre 1489, que le bois de l'emblème présentait une fêlure pour l'édition du *Pathelin* et que cette édition était donc postérieure au 20 octobre 1489. Elle comporte six gravures sur bois illustrant des scènes de la farce.

— deux de ces gravures apparaissent dans le *Pathelin* de Germain Beneaut, autre éditeur parisien, avec qui Levet était lié. Cette édition ayant été achevée le 20 décembre 1490, on peut conclure que l'édition de Pierre Levet date de la fin 1489 ou du début 1490.

Ces diverses éditions sont assez soignées et présentent un texte qui est le même, à quelques minimes différences près. En l'état actuel des recherches, les diverses éditions qui ont suivi remontent plus ou moins directement à l'édition de Pierre Levet. L'édition de Germain Beneaut étant copiée sur celle de Pierre Levet, il ne reste plus à l'éditeur moderne qu'à choisir entre l'édition de Guillaume Le Roy et celle de Pierre Levet.

LE CHOIX D'UN TEXTE POUR UNE ÉDITION MODERNE

Richard Th. Holbrook, à qui l'on doit une étude approfondie des diverses éditions et une édition moderne du texte, avait opté pour le *Pathelin* de Le Roy, puisqu'il est antérieur à celui de Levet. Le raisonnement qui justifie ce choix est que l'édition de Le Roy est la plus ancienne. Richard Holbrook avait même cru pouvoir établir que l'édition de Levet était copiée sur celle de Le Roy ; s'il est assuré que l'une des deux a été la source de l'autre, comme en témoignent des spécificités de présentation et de texte ainsi que des erreurs communes, le sens de la copie n'est pas avéré et il reste qu'ils ont pu copier tous deux une autre édition.

Il faut nuancer la chronologie établie : rien ne prouve que Le Roy n'ait pas vendu son ancienne fonte et que l'édition qu'on lui attribue ne soit pas postérieure d'une ou deux années à la date que l'on propose. Nous retiendrons deux éléments qui prouvent que Pierre Levet n'a pas copié l'édition de Guillaume Le Roy.

1. Au vers 699, le texte de Le Roy ne comporte pas « au feu » ; Richard Holbrook en a déduit que c'était là une correction de Pierre Levet. Mais si l'on se reporte au texte du manuscrit La Vallière, qui est antérieur aux éditions imprimées, on voit que ces mots y figurent. Nous sommes donc devant une faute de copie de Le Roy que n'a pas faite Levet.

2. Le délire en breton, qui est presque identique dans les deux imprimés, a permis aux chercheurs spécialistes en langue bretonne d'établir que Pierre Levet offre en deux points une leçon correcte et que Guillaume Le Roy a un texte fautif. Comme il n'est guère plausible que Pierre Levet ait eu une connaissance suffisante du breton pour corriger les erreurs de Guillaume Le Roy, on ne peut qu'en conclure que Levet n'a pas copié Le Roy.

Mais, au vu de ces éléments, il n'est pas possible non plus de dire que Le Roy ait copié Levet, la date de publication de chacune de ces éditions s'y opposant. Il faut donc supposer un texte qui ait servi de copie commune à ces deux imprimeurs. Si cette source commune avait été un manuscrit, les ressemblances de disposition, de ponctuation, de graphie, etc. ne seraient pas aussi rigoureuses. Il ne peut s'agir que d'un texte imprimé.

Or l'imprimé de Pierre Levet fournit des indices qui peuvent orienter notre recherche. Il comporte en effet six bois. Ces gravures ont été étudiées attentivement par Eugénie Droz ; elle souligne que ces gravures ont été faites à l'intention de l'imprimé où elles sont insérées, quatre d'entre elles étant proportionnées à la justification du texte. Mais elle relève aussi que les clichés ne sont pas neufs et que les signes d'usure sont visibles et nombreux. Le bois qui représente Pathelin au lit a même été monté maladroitement : il est maintenu en place par des bordures qui déparent la page. Il s'ensuit que l'exemplaire qui nous reste de l'édition Levet n'est pas le premier tirage. Il y eut au moins une autre édition, plus ancienne, ornée de ces bois, et nous n'en avons aujourd'hui aucun témoin.

Ce premier tirage, perdu, issu des presses de Pierre Levet aurait donc été la source de l'édition de Guillaume Le Roy et de l'édition de Levet en notre possession.

Le texte de Levet n'est pas parfait, il nécessite quelques corrections, des coquilles s'y sont glissées et on y décèle aussi quelques erreurs manifestes, au total peu nombreuses. Mais à comparer les modifications à apporter à l'une et à l'autre de ces deux éditions, en dehors des erreurs communes, on s'aperçoit qu'elles sont moins nombreuses pour le texte de Levet.

Le *Pathelin* de Guillaume Le Roy est incomplet. Il lui manque cinq feuillets sur un total de quarante-quatre, ce qui fait neuf pages de texte (v. 234-265, 1367-1396, 1502-1539) ; ces feuillets furent refaits au XIXe siècle d'après les éditions de Beneaut et de Levet. L'éditeur moderne qui veut suivre Le Roy est donc obligé de recourir à l'édition Levet pour suppléer la centaine de vers manquant, quitte, comme le fait André Tissier, à rétablir pour ces vers les graphies qui lui paraissent propres à Le Roy.

Il nous a donc paru plus naturel de proposer le texte de l'édition de Pierre Levet, qui est complet et qui, de plus, est de qualité légèrement supérieure à celui de Guillaume Le Roy. Et c'est ainsi rendre hommage au travail d'un imprimeur parisien qui édita en l'espace d'un an *Le Testament* de Villon et *La Farce de Maître Pierre Pathelin*, dotés l'un et l'autre de bois spécialement gravés pour l'occasion.

LA RÉCEPTION DE *PATHELIN*

La diversité et le nombre des éditions de Pathelin attestent la popularité de *La Farce de Maître Pierre Pathelin.* On a aussi plusieurs témoignages de la faveur que rencontre cette farce auprès des acheteurs et des lecteurs.

Dans *La Sottie des Copieurs et des Lardeurs* (vers 1480) un libraire propose la farce de *Pathelin* parmi les pièces à la mode. Et que les deux sots qui jouent les acheteurs la déclarent trop vieille ne fait que révéler leur sottise.

Le «libratier» de la farce du *Vendeur de livres* (vers 1520) passe dans les rues en criant les titres qu'il vend. *Pathelin* y est en bonne place :

> *Livres, livres, livres !*
> *Chansons, ballades et rondeaux !*
> *J'en porte à plus de cent livres !*
> *Venez tôt que je vous en livre :*
> *Jamais n'en vîtes de si beaux.*
> *Livres, livres, livres !*
> *Chansons, ballades et rondeaux !*
> *La farce* Jenin aux fiseaux,
> Le Testament maître Mimin,
> *Et* Maître Pierre Pathelin,
> *Et les* Cent Nouvelles nouvelles,
> *Pour dames et pour damoiselles*
> *Qui aiment à passer le temps !*

Pathelin est vendu dans la rue, mais il figure aussi dans les plus riches bibliothèques ; on le trouve dans l'inventaire des livres de Jean Le Féron, avocat au Parlement de Paris, dressé à l'occasion du décès de sa femme en 1548, où il est prisé deux sous ; le catalogue de la bibliothèque de François Ier, établi en 1518, inscrit « la *farce de Pathelin* en parchemin, illuminée et historiée » dans « l'inventaire des petits livres et traités en français appartenant au roi, lesquels sont en sa librairie [bibliothèque] à Blois ».

Le succès de *La Farce de Maître Pathelin* suscita des continuations. Dès le début du XVIe siècle, le libraire Hérouf publia *Le Nouveau Pathelin* et *Le Testament de Pathelin*. Il n'est pas impossible que ces suites aient été écrites à la fin du XVe siècle. Si elles n'ont pas la verve de la première pièce, elles ne manquent pas de sel. *Le Nouveau Pathelin* raconte une nouvelle duperie du héros et *Le Testament de Pathelin* le dépeint à l'article de la mort faisant une confession et un testament bouffons.

Au tout début du XVIe siècle également (vers 1505 ?), un jurisconsulte, Alexandre Connibert, en publie une traduction en latin, *Comedia nova que veterator inscribitur, alias pathelinus*. Deux autres éditions de ce *Veterator* (« le vieux malin ») parurent en 1512 et en 1543.

Des figures éminentes de la vie intellectuelle du XVIe siècle disent à l'occasion leur plaisir à lire la farce de *Pathelin*. Charles Estienne loue fort, dans la préface qu'il lui consacre, la comédie italienne *Les Abusés*, mais il évoque à son propos « Pathelin avec sa Guillemette et son Drapier, combien que soit chose aussi bien composée pour notre temps que l'on sache trouver ».

Rabelais sème les allusions et les citations de *Pathelin* dans chacun de ses livres ; visiblement, il connaît par cœur cette farce et ne cache pas son admiration : « Je vous prie, considérez le noble Patelin voulant déifier et par divines louanges mettre jusques au tiers ciel le père de Guillaume Jousseaume, rien plus ne dit sinon :

Et si prestoit
Ses denrées à qui en vouloit.

O le beau mot ! » (*Tiers Livre,* chap. IV)

Henri Estienne, en 1578, dans ses *Deux dialogues du nouveau langage françois italianizé*, en fait l'éloge : « *Celtophile* — Avez-vous lu cette farce de bout en bout ? [...] *Philausone* — Ouy, mais il y a longtemps. Toutefois il me souvient encore de plusieurs bons mots, voire de maints bons et beaux traicts et de la bonne disposition conjointe avec l'intention gentile, tellement qu'il me semble que je luy fay grant tort en l'appelant une farce, et qu'elle mérite bien le nom de comédie. »

Vers1600, Étienne Pasquier ouvre en ces termes le chapitre qu'il consacre à la farce de *Pathelin* : « Ne vous souvient-il point de la réponse que fit Virgile à ceux qui lui impropéraient [reprochaient] l'étude qu'il employait à la lecture d'Ennius, quand il leur dit que, ce faisant, il avait appris de tirer l'or d'un fumier ? Le semblable m'est advenu n'a guère aux champs, où, étant destitué de compagnie, je trouvai, sans y penser, la farce de *Maître Pierre Pathelin*, que je lus et relus avec tel contentement que j'oppose maintenant cet échantillon à toutes les comédies grecques, latines et italiennes » (*Les Recherches de la France*, livre 7, chap. LV).

Au XVIIe et XVIIIe siècles, il faut bien constater que les éditions se font plus rares, même si l'on en compte encore deux par siècle. La Fontaine fait figurer Thibaut Agnelet dans une de ses fables (X, 6) et une lettre de Diderot à Sophie Volland (15 octobre 1762) montre que *La Farce de Maître*

Pathelin est inscrite dans la mémoire d'un homme cultivé : « Ma tête s'est échauffée sur une question importante qui me tyrannise sans cesse. [...] Elle m'ôte le sommeil pendant la nuit. Vous souvenez-vous de la farce de Patelin ? Je ressemble trait pour trait à M. Guillaume qui brouille sans cesse dans son plaidoyer son drap et ses moutons. Ma question c'est mon drap. Le reste est moutons pour moi. » Dans l'article « Parade » de l'*Encyclopédie*, le comte de Tressan fait mention de *La Farce de Pathelin* qui « ferait honneur à Molière. Nous avons peu de comédies qui rassemblent des peintures plus vraies, plus d'imagination et de gayeté ».

La farce de *Maître Pierre Pathelin* reprend vigueur au milieu du XIXe siècle, grâce en particulier à l'édition de François Génin en 1854 qui proclamait dans sa préface : « C'est de cette farce qu'est sortie la gloire réelle et durable du théâtre français : la comédie. » Depuis lors, les éditions et les adaptations se sont succédé montrant que cette pièce ne cesse d'avoir la faveur du public.

La Farce de Maître Pathelin a aussi renoué avec la scène. Dès 1706, une adaptation due à David Augustin de Brueys, *L'Avocat Patelin*, fut inscrite au répertoire de la Comédie-Française, qui la joua jusqu'en 1859, et à la suite de l'édition de Génin, plusieurs traductions et adaptations connurent le succès sur la scène, tant en France qu'à l'étranger. Ce succès ne se dément pas aujourd'hui où se multiplient les représentations de cette farce qui séduit aussi bien les amateurs que les professionnels.

Bois gravé de l'édition de Pierre Levet.

BIBLIOGRAPHIE

ÉDITIONS DE FARCES

Recueil de Farces (1450-1550), textes établis et annotés par André Tissier, Droz, Genève (Textes littéraires français), 1986-1998, 12 vol. (*Le Nouveau Pathelin* et *Le Testament de Pathelin* figurent dans le tome VIII).

Farces françaises de la fin du Moyen Âge, transcription en français moderne par André Tissier, Genève, Droz, 1999, 3 vol.

Les Farces. Moyen Âge et Renaissance, vol. I, *La Guerre des sexes*, édition et traduction par Bernard Faivre, Paris, Imprimerie nationale, 1997. Le volume II, *Dupés et trompeurs*, est sous presse.

LES ÉDITIONS DE *PATHELIN*

Éditions anciennes en fac-similé

Maistre Pierre Pathelin hystorié. Reproduction en fac-similé de l'édition imprimée vers 1500 par Marion Malaunoy, veuve de Pierre Le Caron, préface d'É. Picot, Paris, F. Didot, 1904 (Société des anciens textes français).

Maistre Pierre Pathelin. Reproduction en fac-similé de l'édition imprimée vers 1485 par Guillaume Le Roy à Lyon, publiée par É. Picot, Paris, Soc. nouv. de librairie et d'édition Cornély, 1907 (Société des textes français modernes).

Maistre Pierre Pathelin. Reproduction en fac-similé de l'édition imprimée en 1489 par Pierre Levet, publiée par R. T. Holbrook, Genève, Droz, 1953 (Textes littéraires français).

Choix d'éditions modernes

Texte seul

Maistre Pierre Pathelin, farce du XVe siècle éditée par R. T. HOLBROOK, Paris, 1924, 2e éd. 1937 (CFMA, 35) [texte de Le Roy].

Maître Pathelin, dans *Recueil de Farces (1450-1550)*, textes établis et annotés par André TISSIER, Genève, Droz, 1993, t. VII (Textes littéraires français, 432) [texte du ms. La Vallière et texte de Le Roy].

Texte et traduction

La farce de Maître Pierre Pathelin, texte etabli et traduit par Jean DUFOURNET, Paris, Flammarion, GF, 1986 [texte de Le Roy].

La farce de Maistre Pathelin et ses continuations, Le Nouveau Pathelin et Le Testament de Pathelin, introduction, traduction et notes par Jean-Claude AUBAILLY, Paris, SEDES, 1979 [texte du ms. La Vallière].

La Farce de Maistre Pathelin, texte intégral accompagné de la traduction et d'un commentaire philologique et grammatical, par Guillaume PICOT, Paris, Larousse, 1972 (Nouveaux classiques Larousse) [texte de l'édition Holbrook].

Traduction seule

Maître Pierre Pathelin, farce du XVe siècle translatée en français moderne par Omer JODOGNE, Gand, 1975 (Ktémata, 2) [suit le texte de Le Roy].

Claude-Alain CHEVALLIER, *Théâtre comique du Moyen Âge*, Paris, Union générale d'éditions, 1973 (10/18) ; *La Farce de Maître Pathelin* est traduite p. 217-292.

CHOIX D'OUVRAGES SUR LE THÉÂTRE MÉDIÉVAL ET LA FARCE

Jean-Claude AUBAILLY, *Le Théâtre médiéval profane et comique*, Paris, Larousse, 1975.

Barbara C. BOWEN, *Les Caractéristiques essentielles de la farce française et leur survivance dans les années 1550-1620*, Urbana, 1964 (Illinois Studies in Language and Literature).

Howard Graham HARVEY, *The Theater of the Basoche*, Cambridge (Mass.), 1941.

Alan E. KNIGHT, *Aspects of Genre in Late Medieval French Drama*, Manchester University Press, 1983.

Madeleine LAZARD, *Le Théâtre en France au XVIe siècle*, PUF, 1980 (Littératures modernes).

Raymond LEBÈGUE, *Le Théâtre comique en France de Pathelin à Mélite*, Paris, 1972 (Connaissance des lettres, 62).

Halina LEWICKA, *Études sur l'ancienne farce française*, Paris, Kliencksieck, 1974.

Charles MAZOUER, *Le Théâtre français du Moyen Âge*, Paris, SEDES, 1998.

Bernadette REY-FLAUD, *La Farce ou la machine à rire. Théorie d'un genre dramatique, 1450-1550*, Genève, Droz, 1984 (Publications romanes et françaises, CLXVII).

Konrad SCHOELL, *La Farce du XVe siècle*, Tübingen, Gunter Narr Verlag, 1992.

CHOIX D'OUVRAGES SUR *PATHELIN*

L.-E. CHEVALDIN, *Les Jargons de la farce de Pathelin, pour la première fois reconstitués, traduits et commentés*, Paris, Fontemoing, 1903.

Louis CONS, *L'Auteur de la farce de* Pathelin, Princeton et Paris, PUF, 1926 (Elliot Monographs, 17).

Jean DUFOURNET et Michel ROUSSE, *Sur « La Farce de Maître Pierre Pathelin »*, Paris, Champion, 1986 (Collection Unichamp, 13).

Richard T. HOLBROOK, *Étude sur* Pathelin, *Essai de bibliographie et d'interprétation,* Baltimore et Paris, Champion, 1917 (Elliot Monographs, 5).

Donald MADDOX, *Semiotics of Deceit : the Pathelin Era* (with a New English Translation of *Maistre Pierre Pathelin* by A. Knight), Londres-Ontario, 1984.

CHOIX D'ARTICLES SUR *PATHELIN*

José Luis de ALTAMIRA, «La vision de la mort dans *Maître Pathelin*», *Dissonances*, I (1977), p. 119-130.

Solange AMACHER, Camille POIROT et R. MÉNAGE, «Les techniques théâtrales dans la farce de *Maître Pathelin*», *Recherches et travaux de l'Université de Grenoble*, UER de Lettres, Bull. nº 17, p. 52-61.

P. E. BENETT, «Le goupil, le corbeau et les structures de *Maistre Pierre Pathelin*», *Le Moyen Âge*, 89 (1983), p. 413-432.

Jean-Pierre BORDIER, «Pathelin, Renart, Trubert, badins, décepteurs», *Le Moyen Âge*, 98 (1992), p. 71-84.

Larry S. CRIST, «Pathelinian Semiotics: Elements for an Analysis of *Maistre Pierre Pathelin*», *L'Esprit créateur*, XVIII (1978), p. 69-81.

Roger DRAGONETTI, «Les travestissements du langage et la folie du drap dans la *Farce de Maistre Pathelin*», *Masques et déguisements dans la littérature médiévale*, études rec. par M.-L. Ollier, Vrin-Presses de l'univ. de Montréal, Paris-Montréal, 1988, p. 261-276.

Eugénie DROZ, «L'illustration des premières éditions parisiennes de la farce de *Pathelin*», *Humanisme et Renaissance*, I (1934), p. 145-150.

Jean DUFOURNET, «L'argent dans la farce de *Maître Pierre Pathelin*», *Michigan Romance Studies*, 8 (1989), p. 179-201.

Éric EIGENMANN, «Pathelin ou la fausse monnaie du discours», *Littératures* (Toulouse), 16 (printemps 1987), p. 7-12.

E. ERNAULT, «Sur quelques textes franco-bretons», *Revue celtique*, XVI (1895) p. 168-200.

Michel ERRE, « Langage(s) et pouvoir(s) dans la *Farce de Maître Pathelin* », *Dissonances*, I (1977), p. 90-118.

Alexandre FISCHLER, « The Theme of Justice and the Structure of *La Farce de Maître Pathelin* », *Neophilologus*, LIII (1969), p. 261-273.

Jean FRAPPIER, « La farce de *Maistre Pierre Pathelin* et son originalité », *Mélanges M. Brahmer*, Varsovie, 1967, p. 207-217. Repris dans *Du Moyen Âge à la Renaissance. Études d'histoire et de critique littéraire*, Paris, Champion, 1976, p. 245-259.

Urban T. HOLMES, « Les noms de saints invoqués dans le *Pathelin* », *Mélanges Gustave Cohen*, Paris, Nizet, 1950, p. 125-129.

Omer JODOGNE, « Rabelais et Pathelin », *Les Lettres romanes*, IX (1955), p. 3-14.

Pierre LEMERCIER, « Les éléments juridiques de Pathelin et la localisation de l'œuvre », *Romania*, LXXIII (1952), p. 200-226.

Donald MADDOX, « The Morphology of Mischief in *Maistre Pierre Pathelin* », *L'Esprit créateur*, XVIII/3 (1978), p. 55-68.

Jean-Charles PAYEN, « La farce et l'idéologie : le cas de *Maître Pathelin* », *Le Moyen Français*, 8-9 (1981), p. 7-25.

Emmanuel PHILIPPOT, « Remarques et conjectures sur le texte de *Maistre Pierre Pathelin* », *Romania*, LVI (1930), p. 558-584.

Mario ROQUES, « *Manger de l'oie*. Notes sur *Maistre Pierre Pathelin* », *Romania*, LVII (1931), p. 548-560.

Michel ROUSSE, « *Pathelin* est notre première comédie », *Mélanges de langue et littérature médiévales offerts à Pierre Le Gentil*, Paris, 1973, p. 753-758.

Michel ROUSSE, « *Pathelin* : de l'excellence de l'édition Levet », *Mélanges Jean Dufournet*, Paris, Champion, 1993, t. III, p. 1223-1232.

Bruno ROY, « Triboulet, Josseaulme et Pathelin à la cour de René d'Anjou », *Le Moyen Français*, 7 (1981), p. 7-56.

Bruno ROY, « Le texte du *Pathelin* : sur deux propositions récentes », *Le Moyen Français*, 1996, p. 551-566.

Bruno ROY, « Quand les Pathelin achètent du drap », *Médiévales*, 29 (automne 1995), p. 9-22.

Cesare SEGRE, « *Maistre Pathelin* : Manipulation of Topics and Epistemic Lability », *Poetics Today*, 5 (1984), p. 563-583.

Konrad SCHOELL, « Commerçants et paysans. Structures de *Pathelin* : l'opposition des personnages », Communication au colloque *Pathelin en scène* de Rennes en 1995. À paraître.

Darwin SMITH, « Le jargon franco-anglais de Maître Pathelin », *Journal des Savants*, 1989, p. 259-276.

Giuseppe DI STEFANO, « Quale Pathelin ? », *Le Moyen Français*, 7 (1981), p. 142-153.

ANALYSE DRAMATURGIQUE

UNE COMÉDIE EN TROIS FARCES

La Farce de Maître Pathelin se qualifie elle-même de comédie dans les derniers vers que le recueil La Vallière est seul à présenter ; ils sont destinés à prendre congé du public :

Prenez en gré la comédie.
Adieu toute la compagnie.

Que ces vers soient ou non de l'auteur de la pièce, ils marquent bien que l'on percevait dans cette pièce une originalité et une ambition qui dépassaient ce que l'on attend d'ordinaire de la farce.

Cependant la farce reste le module qui régit la construction de *Pathelin*. Un théoricien du XVIe siècle, Gratien du Pont, assignait à la farce une longueur de cinq cents vers, et bon nombre de farces n'atteignent pas plus de trois cents à quatre cents vers. La *Farce de Maître Pathelin,* qui en compte exactement mille cinq cent quatre-vingt-dix-neuf, sort évidemment de ce cadre. Elle ne le néglige pas pour autant. On peut observer en effet que l'ensemble de la pièce est constitué de trois ensembles d'environ cinq cents vers, qui correspondent chacun à une action spécifique, comme si à l'intérieur de la pièce se dégageait une structure à trois temps fondée sur la longueur d'une farce.

Il existe une exacte coïncidence entre chacune de ces actions et leur mise en forme théâtrale. L'auteur a construit sa pièce de telle sorte que des points de rupture apparaissent à peu près tous les cinq cents vers. Ces points de rupture sont constitués par les monologues du Drapier qui sont à la fois une conclusion de l'action précédente et l'amorce de l'action suivante (vers 498-506 et 1007-1016). Une brève analyse permet de mettre en relief cette construction qui se développe en trois actions et d'en noter les implications scéniques.

Action 1 : Pathelin se procure de l'étoffe sans payer

Scène 1 — *Chez Pathelin*

Pathelin et sa femme, dans le plus grand dénuement, ont besoin d'étoffe pour remplacer leurs habits usés jusqu'à la trame. Pathelin, qui s'est vanté d'avoir été jadis fort habile à plaider, décide d'aller se procurer l'étoffe nécessaire à la confection d'habits neufs.

Scène 2 — *À la foire, devant l'étal du Drapier*

Pathelin se rend à la foire où il aborde de façon familière le drapier Guillaume Jossaume. Il le flatte si bien sur sa famille, et sur son père en particulier, que le Drapier est obligé de se départir de sa méfiance ; Pathelin décide alors d'acheter du drap, et fait son choix. Après marchandage, il annonce qu'il paiera en beaux écus d'or et il invite le Drapier à venir se faire payer chez lui où il lui fera manger de l'oie, ce qui lui permet d'emporter l'étoffe sans rien débourser malgré les réticences du Drapier.

Pathelin, *seul*, en quittant le Drapier, ironise sur l'or que convoite en paiement le Drapier et laisse entendre qu'il pourra toujours courir…

Le Drapier, *seul*, songe à l'or promis et ironise sur la sottise de Pathelin qui a acheté l'étoffe à un prix trop élevé.

Scène 3 — *Chez Pathelin*

Pathelin triomphe en rapportant l'étoffe, et calme les inquiétudes de Guillemette en lui disant que le drap est déjà payé par le « denier à Dieu » et que le marchand n'en aura rien d'autre. Il lui fait le récit de la façon dont il a flatté le Drapier, en l'agrémentant de commentaires qui énoncent la réalité fort différente que recouvrent ces flatteries. Guillemette rappelle la fable de Renard et du Corbeau. Pathelin prépare alors la venue du Drapier et dit à Guillemette comment elle devra l'accueillir tandis qu'il feindra d'être malade.

Le Drapier, *seul à son étal*, s'apprête à aller chercher son argent chez Pathelin.

Sur scène

On a vu qu'il suffit de deux tabourets pour marquer l'intérieur de la maison de Pathelin et, pour le Drapier, d'un étal et d'un tabouret (« séez vous, beau sire »). L'étal, installé dès le début de la pièce, instaure une attente qui pique la curiosité tant qu'on ne sait pas quel va être son rôle dans l'action. Cette attente se trouve transformée en tension scénique quand Pathelin et Guillemette insistent sur l'aspect misérable de leurs habits et la nécessité de se procurer de l'étoffe. La présence de l'étal avec ses rouleaux d'étoffe pose concrètement le problème : comment Pathelin va-t-il pouvoir faire passer cette étoffe de l'étal à sa maison ? La confrontation de l'étal avec l'usure des habits des personnages matérialise la tension qui constitue l'intrigue : un besoin qui demande à être satisfait. Cette tension peut être doublée par un autre contraste qui opposerait Guillaume, bien habillé, gros et gras (« la petite fossette au menton »), au ménage Pathelin, maigre et mal vêtu.

Action 2 : Comment renvoyer un créancier

Toutes les scènes ont lieu chez Pathelin.

Scène 1
À son arrivée, le Drapier est accueilli par Guillemette qui tient les propos d'une femme éplorée dont le mari est au lit, malade, depuis des semaines. Elle feint de ne rien comprendre aux paroles du Drapier, furieux, qui dit venir chercher l'argent de l'étoffe prise par Pathelin. La discussion s'envenime, jusqu'au moment où Pathelin appelle Guillemette. Il feint d'avoir des visions et prend le Drapier pour un médecin. Celui-ci, ahuri et décontenancé, se retire.

Le Drapier, *seul*, décide d'aller vérifier à son étal ce qu'il en est, et ne sait plus où est la vérité.

Scène 2
Pathelin et Guillemette s'attendent à ce que le Drapier revienne.

Le Drapier, *seul*, *à son étal*, reprend ses esprits et décide de retourner chez Pathelin.

Scène 3
Pathelin annonce qu'il va faire semblant de délirer, cepen-

dant que le Drapier se présente à la porte. Guillemette lui annonce que Pathelin est à sa dernière heure. Pathelin tient des propos décousus et incompréhensibles dont Guillemette explique ensuite que c'est du limousin, du picard, du normand, du breton, et finalement du latin. Croyant quc Pathelin est à l'article de la mort, le Drapier se retire.

Le Drapier, *seul*, estime qu'il a été victime d'un tour du diable.

Scène 4

Pathelin et Guillemette se réjouissent ; l'étoffe leur est acquise.

Le Drapier, *seul, à son étal*, se voit en misérable victime de tous les mauvais coups. Même son berger le vole.

Sur scène

Le dispositif scénique est identique à celui de l'action précédente, mais comporte en plus un lit (qui peut être un dispositif fort simplifié). Ce lit voisinc évidemment avec les tabourets et un simple déplacement de quelques pas rapproche Guillemette (« viens ça ! », vers 611), puis le Drapier (« venés le veoir », vers 628), du lit de Pathelin, les faisant passer de « l'entrée » au chevet du malade.

L'étal concrétise l'absence de l'étoffe emportée par Pathelin et une tension spatiale oppose l'étal à un bout du plateau au lit où Pathelin fait le malade. Les allées et venues du Drapier scandent son passage de l'incertitude devant Pathelin malade à la certitude devant son étoffe envolée. L'animation de la scène est originale : deux personnages debout sont pétrifiés devant Pathelin malade, et c'est celui qui est couché qui anime l'espace scénique, battant l'air de ses bras et peuplant l'espace de ses visions. Après l'exubérance gestuelle de ce premier temps, le second temps laisse éclater un jaillissement de mots étranges et inquiétants ; le mouvement est ici dans les mots qui par leurs consonances curieuses et leurs intonations singulières inscrivent au passage des allusions et des railleries à saisir proprement « au vol ». L'animation de chacun de ces temps s'inscrit en contrepoint des questions qui s'agitent dans le crâne du Drapier et qu'il énonce dans ses monologues.

Action 3 : Le procès

Scène 1 — *À l'étal*

Le Berger tente de s'arranger à l'amiable avec le Drapier dont il garde les moutons : il a été convoqué devant le Juge par un sergent de justice pour vol de moutons ; ses protestations d'innocence sont vaines, le Drapier veut aller en justice.

Scène 2 — *Chez Pathelin*

Le Berger se rend alors chez Pathelin à qui il demande de le défendre dans le procès que lui intente le Drapier. Il reconnaît avoir tué plusieurs brebis et les témoins ne manquent pas. Sa défense est difficile, mais Pathelin, à qui le Berger fait miroiter qu'il le paiera en beaux écus à la couronne, trouve un moyen de lui éviter d'être condamné : il ne répondra rien d'autre que « bée » à toutes les questions qu'on lui posera, et aucun autre mot ne devra sortir de sa bouche, même si Pathelin lui-même l'en presse. En retour, il promet à Pathelin de le payer très exactement selon ses indications. Ils se rendent devant le Juge, mais sans paraître se connaître.

Scène 3 — *Devant le Juge*

Le Juge est pressé et demande au Drapier d'exposer son accusation, mais lorsque ce dernier reconnaît soudain Pathelin près du Juge, il l'apostrophe au sujet de l'étoffe. Le Juge, qui ne voit pas de quoi il s'agit, l'invite à revenir à son propos. Mais le Drapier s'embrouille constamment et mêle l'étoffe et les moutons ; Pathelin fait en sorte que le Juge n'y comprenne rien. L'interrogatoire du Berger ne donne pas autre chose que les « bée » prévus. Le Juge, orienté par Pathelin, conclut que le Berger n'a pas toute sa raison, déboute le Drapier de sa plainte et s'en va.

Scène 4

Le Drapier et Pathelin restent face à face sous le regard du Berger qui ne dit mot. Pathelin nie être celui que reconnaît le Drapier, lui fait croire qu'il le prend pour un autre ; le Drapier, abasourdi, décide d'aller voir chez Pathelin s'il est malade et quitte la place.

Scène 5

Pathelin s'adresse alors au Berger qui est resté sans rien dire. Mais à toutes ses demandes de paiement, l'autre ne répond que « bée » et Pathelin doit conclure que « les oisons mènent les oies paître ». Il décide d'aller chercher un sergent. Mais le Berger s'enfuit et laisse la scène vide.

Sur scène

Les personnages occupent la scène dans un mouvement de flux et de reflux, dont le moteur serait le Berger qui va successivement mettre en mouvement le Drapier à un bout de l'aire de jeu puis Pathelin à l'autre bout ; tous se retrouvent ensuite au centre, autour du Juge. Puis ce sera la décrue, la scène se vide progressivement, d'abord du Juge, puis du Drapier, puis de Pathelin et finalement du Berger. Singulier tour de force de l'auteur, qui prend le contre-pied des usages de la farce se plaisant d'ordinaire à rassembler tous les personnages pour le final qui esquisse à l'adresse du public une morale courte et convenue. Cette fois, la scène, qui a brui de tous les délires verbaux de Pathelin et du Drapier, débouche sur le silence. Le public est laissé face à une scène vide, livrée au silence et au non-jeu. Deux siècles plus tard, un autre génie du théâtre eut recours à une fin analogue. Le *Dom Juan* de Molière, après les propos blasphématoires du héros, se clôt sur le silence qui s'installe quand Sganarelle disparaît à la poursuite de ses gages.

La répartition ternaire de la représentation donne à *La Farce de Maître Pathelin* son rythme spécifique. Mais d'autres éléments interviennent pour donner au spectacle un mouvement dynamique qui se fait de plus en plus vif à mesure que la pièce progresse. Dans la première action, le dialogue au cours des différentes scènes ne met en jeu que deux personnages. Dans la deuxième action, ils sont trois à être impliqués dans la même scène et dans la dernière partie, ils se retrouvent à trois autour du Juge. Cette progression de deux à trois puis quatre personnages en jeu sur la scène instaure un rythme d'occupation de l'espace scénique qui influe sur la tension dramatique et entraîne le spectateur dans un mouvement de plus en plus tendu et de plus en plus complexe. La tension dramatique se diversifie et atteint son apogée dans la dernière partie où elle met aux prises le Drapier et le Berger, le Drapier et Pathelin, le Drapier et le Juge, Pathelin et le Berger, dans un enchevêtrement de propos où les répliques changent constamment d'interlocuteurs. Le Juge actualise un point de référence stable dans ce jeu de tensions qui passent de façon anarchique d'un personnage à l'autre.

LA FARCE
DE MAÎTRE PATHELIN

DOSSIER

DANS LA COLLECTION FOLIO CLASSIQUE

ANDERSEN. *Contes choisis*. Édition établie par Alain Faudemay. Traduction de P. G. La Chesnais.

ANONYME. *Fabliaux*. Présentation et traduction de Gilbert Rouger.

ANONYME. *La Farce de Maître Pathelin*. Présentation et traduction nouvelle de Michel Rousse. Édition bilingue.

ANONYME. *Le Roman de Renart*. Préface de Béatrix Beck. Édition établie par Paulin Paris.

ANONYME. *Tristan et Iseut*. Préface de Denis de Rougemont. Édition établie par André Mary.

BALZAC. *Le Colonel Chabert*. Préface de Pierre Barbéris. Édition établie par Patrick Berthier.

BALZAC. *Eugénie Grandet*. Édition présentée et établie par Samuel S. de Sacy.

BALZAC. *Ferragus*. Édition présentée et établie par Roger Borderie.

BALZAC. *Le Père Goriot*. Préface de Félicien Marceau.

BAUDELAIRE. *Les Fleurs du Mal*. Édition présentée et établie par Claude Pichois.

BEAUMARCHAIS. *Le Mariage de Figaro*. Édition présentée et établie par Pierre Larthomas.

BÉROUL. *Tristan et Yseut*. Présentation et traduction de Daniel Poirion. Préface de Christiane Marchello-Nizia.

CHRÉTIEN DE TROYES. *Yvain ou le Chevalier au Lion*. Présentation et traduction de Philippe Walter.

COLLODI. *Les Aventures de Pinocchio*. Édition de Jean-Michel Gardair. Traduction de Nathalie Castagné, revue par Jean-Michel Gardair.

CORNEILLE. *Le Cid*. Édition présentée et établie par Jean Serroy.

CORNEILLE. *L'Illusion comique*. Édition présentée et établie par Jean Serroy.

DAUDET. *Lettres de mon moulin*. Édition présentée et établie par Daniel Bergez.

DEFOE. *Robinson Crusoé*. Édition présentée et établie par Michel Baridon. Traduction de Pétrus Borel.

DUMAS. *Les Trois Mousquetaires*. Introduction de Roger Nimier. Édition établie et annotée par Gilbert Sigaux.

FLAUBERT. *Bouvard et Pécuchet*. Édition présentée et établie par Claudine Gothot-Mersch.

FLAUBERT. *Madame Bovary*. Édition présentée et établie par Thierry Laget.

FLAUBERT. *Trois Contes* Préface de Michel Tournier. Édition établie par Samuel S. de Sacy.

GAUTIER. *Le Capitaine Fracasse*. Édition présentée et établie par Antoine Adam.

GRIMM. *Contes choisis*. Préface de Jean-Claude Schneider. Choix et traduction de Marthe Robert.

HOMÈRE. *Odyssée*. Édition présentée par Philippe Brunet. Traduction de Victor Bérard.

HUGO. *Le Dernier Jour d'un Condamné*. Édition présentée et établie par Roger Borderie.

HUGO. *Les Misérables*, I et II. Édition présentée et établie par Yves Gohin.

HUGO. *Notre-Dame de Paris*. Préface de Louis Chevalier. Édition établie par Samuel S. de Sacy.

HUGO. *Quatrevingt-treize*. Édition présentée et établie par Yves Gohin.

JARRY. *Ubu roi*. Édition présentée et établie par Noël Arnaud.

KAFKA. *La Métamorphose*. Présentation et traduction de Claude David.

LAFAYETTE. *La Princesse de Clèves*. Édition présentée et établie par Bernard Pingaud.

LA FONTAINE. *Fables choisies*. Édition présentée par Jean-Pierre Chauveau. Texte établi par Jean-Pierre Collinet.

MARIVAUX. *L'Île des Esclaves*. Édition présentée et établie par Henri Coulet.

MAUPASSANT. *Bel-Ami*. Édition présentée et établie par Jean-Louis Bory

MAUPASSANT. *Boule de suif*. Édition présentée et établie par Louis Forestier.

MAUPASSANT. *Contes de la Bécasse*. Préface d'Hubert Juin.

MAUPASSANT. *Le Horla*. Édition présentée et établie par André Fermigier.

MAUPASSANT. *Mont-Oriol*. Édition présentée et établie par Marie-Claire Bancquart.

MAUPASSANT. *Pierre et Jean*. Édition présentée et établie par Bernard Pingaud.

MAUPASSANT. *Une vie*. Édition présentée et établie par André Fermigier.

MÉRIMÉE. *Carmen*. Édition présentée et établie par Adrien Goetz.

MÉRIMÉE. *La Vénus d'Ille. Colomba. Mateo Falcone*. Édition présentée et établie par Patrick Berthier.

MOLIÈRE. *L'Avare*. Édition présentée et établie par Georges Couton.

MOLIÈRE. *Le Bourgeois gentilhomme*. Édition présentée et établie par Georges Couton.

MOLIÈRE. *Dom Juan*. Édition présentée et établie par Georges Couton.

MOLIÈRE. *L'École des femmes*. Édition présentée et établie par Jean Serroy.

MOLIÈRE. *Les Femmes savantes*. Édition présentée et établie par Georges Couton.

MOLIÈRE. *Les Fourberies de Scapin*. Édition présentée et établie par Georges Couton.

MOLIÈRE. *Le Malade imaginaire*. Édition présentée et établie par Georges Couton.

MOLIÈRE. *Le Médecin malgré lui*. Édition présentée et établie par Georges Couton.

MOLIÈRE. *Le Misanthrope*. Édition présentée et établie par Jacques Chupeau.

MOLIÈRE. *Le Tartuffe*. Édition présentée et établie par Jean Serroy.

PERRAULT. *Contes*. Édition présentée par Nathalie Froloff. Texte établi par Jean-Pierre Collinet.

PRÉVOST. *Manon Lescaut.* Édition présentée et établie par Claire Jaquier.

RACINE. *Andromaque.* Préface de Raymond Picard. Édition établie par Jean-Pierre Collinet.

RACINE. *Britannicus.* Édition présentée et établie par Georges Forestier.

RACINE. *Phèdre.* Édition présentée et établie par Raymond Picard.

RIMBAUD. *Poésies. Une saison en enfer. Illuminations.* Préface de René Char. Édition établie par Louis Forestier.

ROSTAND. *Cyrano de Bergerac.* Édition présentée et établie par Patrick Besnier.

SAND. *La Mare au Diable.* Édition présentée et établie par Léon Cellier.

SHAKESPEARE. *Roméo et Juliette.* Préface et traduction d'Yves Bonnefoy.

STENDHAL. *Le Rouge et le Noir.* Préface de Jean Prévost. Édition établie par Anne-Marie Meininger.

STEVENSON. *L'Île au trésor.* Présentation et traduction nouvelle de Marc Porée.

VALLÈS. *L'Enfant.* Édition présentée et établie par Denis Labouret.

VOLTAIRE. *Candide ou l'Optimisme.* Édition présentée par Jacques Van den Heuvel. Texte établi par Frédéric Deloffre.

VOLTAIRE. *Micromégas. L'Ingénu.* Édition présentée par Jacques Van den Heuvel. Texte établi par Frédéric Deloffre.

VOLTAIRE. *Zadig ou la Destinée.* Édition présentée par Jacques Van den Heuvel. Texte établi par Frédéric Deloffre.

ZOLA. *L'Assommoir.* Préface de Jean-Louis Bory. Édition établie par Henri Mitterand.

ZOLA. *Au Bonheur des Dames.* Préface de Jeanne Gaillard. Édition établie par Henri Mitterand.

ZOLA. *La Bête humaine.* Préface de Gilles Deleuze. Édition établie par Henri Mitterand.

ZOLA. *La Curée.* Préface de Jean Borie Édition établie par Henri Mitterand.

ZOLA. *Germinal.* Préface d'André Wurmser. Édition établie par Henri Mitterand.

ZOLA. *Nana*. Édition présentée et établie par Henri Mitterand.

ZOLA. *Thérèse Raquin*. Édition présentée et établie par Robert Abirached.

ZOLA. *Le Ventre de Paris*. Préface d'Henri Guillemin. Édition établie par Henri Mitterand.

Composition Interligne.
Impression Bussière,
à Saint-Amand (Cher), le 12 juillet 2005.
Dépôt légal : juillet 2005.
1er dépôt légal dans la collection : octobre 1999.
Numéro d'imprimeur : 052730/1.
ISBN 2-07-040539-7./Imprimé en France.